EDUARDO KRAUSE

Brava Serena

2ª edição

Porto Alegre  São Paulo • 2022

Copyright © 2018 Eduardo Krause

CONSELHO EDITORIAL Gustavo Faraon, Luísa Zardo, Rodrigo Rosp e Samla Borges
PREPARAÇÃO Luciana Thomé e Rodrigo Rosp
REVISÃO Raquel Belisario
REVISÃO DO ITALIANO Patrizia Cavallo
CAPA E PROJETO GRÁFICO Luísa Zardo
FOTO DO AUTOR Agustín Ostos

DADOS INTERNACIONAIS DE
CATALOGAÇÃO NA PUBLICAÇÃO (CIP)

K21b Krause, Eduardo
Brava Serena / Eduardo Krause. — 2. ed.
— Porto Alegre : Dublinense, 2022.
288 p. ; 21 cm.

ISBN: 978-65-5553-065-0

1. Literatura Brasileira. 2. Romances Brasileiros. I. Título.

CDD 869.937

Catalogação na fonte:
Ginamara de Oliveira Lima (CRB 10/1204)

Todos os direitos desta edição
reservados à Editora Dublinense Ltda.

Av. Augusto Meyer, 163 sala 605
Auxiliadora • Porto Alegre • RS
contato@dublinense.com.br

Ao amigo Roberto Camerito,
que sabe o que é verdade
e o que é invenção.

*"Não me sinto nem um pouco velho.
No máximo, ligeiramente ancião."*
Marcello Mastroianni,
em entrevista ao jornal La Stampa,
em fevereiro de 1996.

Em dezembro do
mesmo ano, ele faleceu.

A verdade é que já estava mais do que na hora de voltarmos à Itália, não é mesmo? De olhos fechados, parado em meio ao vão de saída da estação Termini, sei que tu concordas. Então, inspiro profundamente, alheio às pessoas que vão e vêm. Com alívio, constato que Roma continua a mesma, pelo menos em sua atmosfera. Se me perguntassem por que me apaixonei por esta cidade, diria que é por causa desse ar. O hálito de Saturno, deus romano do tempo. Apesar de mentirosa, seria uma linda resposta. Pena que ninguém pergunte essas coisas.

— Scusi, signore.

Uma moça me aborda, tocando meu ombro de leve. Em reflexo, dou um passo para o lado, cedendo passagem. Com uma enorme mochila nas costas e celular ao ouvido, ela não vê meu sorriso nem ouve o meu "prego!", lançado ao vazio. Percebo que a jovem fala inglês ao telefone, enquanto olha ao redor com alegre curiosidade. E concluo que a turista fez o dever de casa, decorando a cota de expressões indispensáveis para visitar um país de língua estrangeira: olá, por favor, obrigado, onde fica?, quanto custa? e com licença. Gosto de pensar que sua alegria se deve à ilusão de que, recém-chegada à cidade eterna, já teve oportunidade de gastar seu parco italiano com um nativo. Eu, aparentemente. Satisfeito, inspiro de novo. Sem pressa de me embrenhar em Roma, essa selva onde podemos nos esconder bem, como é dito no começo de La dolce vita por...

— Stronzo!

Um safanão me desperta e quase perco o chapéu. Quem me ultrapassa agora é um homem de terno cinza-claro, corte impecável e sapatos cor de café, reluzentes ao sol da manhã. Apesar da elegância, ele gesticula para mim com enérgica rispidez. E com razão: parado bem no meio da saída da estação de trem mais movimentada da Itália, só então percebo o obstáculo que sou. Sina de idoso. Ainda assim, sigo satisfeito. Afinal, agora não foi um turista, mas um verdadeiro italiano que me confundiu com um dos seus, dirigindo-se a mim na língua de Dante, Petrarca e Ariosto, mesmo que tenha sido para me chamar de imbecil.

Por isso, sorrio para o idiota, tascando um "Buongiorno!", que também se perde no ar. Eis os grandes pilares da terceira idade: atravancar o caminho e falar sem ser ouvido. A gente acostuma, não tem jeito. Quando se é velho, as saudades e os remorsos ocupam tanto espaço que não há lugar para nutrir novos pesares. No início, ainda se tenta lutar contra a obsolescência, mas chega uma hora em que é melhor apenas aceitar e aprender as pequenas manhas, os vandalismos sociais a que temos direito. Coisas como ir ao banco no horário de maior movimento ou tornar um lento martírio qualquer fila de buffet. É quase uma arte saber atravancar a vida dos outros até o limite entre a inocência e a provocação. Agora, por exemplo, é melhor sair daqui antes que receba outro empurrão.

Faço o sinal da cruz, ajeito meus óculos de grossa armação preta e finalmente dou o primeiro passo rumo à calçada. Puxando minha mala com rodinhas, atravesso a Via Giovanni Giolitti e sigo o caminho roteirizado em minha cabeça. Foram meses estudando mapas e guias de

Roma, planejando meticulosamente essa nova fase da minha vida. A última, melhor dizendo. Depois dos setenta, entramos todos na prorrogação, não é verdade? Desculpe, que grosseria... tu não tens como saber.

À medida em que avanço cidade adentro, vou abrindo os botões de meu sobretudo. Para uma manhã de janeiro, até que não está tão frio e qualquer caminhada, hoje em dia, já me causa um suador. Imagino o calor de minha terra neste exato momento, pleno verão brasileiro, e as longas filas de refugiados motorizados rumo ao litoral nos fins de semana. Passo um lenço em minha testa e agradeço pelos nove graus anunciados na estação. A cada rua, me impressiono com a quantidade maior de semelhanças do que de diferenças que Roma apresenta em relação à primeira vez em que aqui estivemos. É maravilhosa a sensação de irrelevância que estas vias transmitem. Elas já viram tudo, o melhor e o pior da humanidade. Aqui, sobre as pegadas de reis, imperadores, gladiadores, ditadores e papas, toda história pessoal é insignificante.

Passo a passo, puxando a mala e sentindo o coração palpitar, em pouco mais de trinta minutos completo o percurso que deve levar quinze na passada de uma pessoa sadia. Vejo o acesso à Via del Boschetto, minha nova rua, típica viela dos filmes italianos. Estreita a ponto de fazer os pedestres se encostarem às paredes quando um carro passa, com piso de pedra, lambretas e bicicletas ocupando as calçadas, flores nas balaustradas das janelas e prédios em tons de bege grudados uns nos outros, aqui e ali cobertos por verdejantes cortinas de hera. Em cerca de cem metros, me vejo diante da porta com o número marcado em minhas anotações. Ao lado dela, um antigo interfone. Levo meu dedo enrugado à campainha número 21. E uma voz feminina logo emerge do viva-voz.

— Pronto.
— Buongiorno! Signora Sonia Felice?! Io sono Roberto Bevilacqua! Scusi per arrivare così presto, è che...

Quando começo a me empolgar com o meu próprio italiano, ouço um estalido metálico e entendo que a conversa terminou. Empurro a porta tingida de verde-escuro e ela não oferece resistência. Fico na dúvida se foi minha nova senhoria quem abriu ou se sempre esteve aberta. Devagar, entro no gélido corredor do primeiro piso, acompanhado do eco dos meus passos. Além das caixas de correspondência na parede à esquerda, nada mais que uma escadaria para me recepcionar. Acima do térreo, são apenas três pavimentos. Um prédio antigo, pequeno, sóbrio e sem adornos desnecessários nem porteiros enxeridos. Bem como planejamos.

Subo ao segundo andar e a senhora Sonia Felice me aguarda, tal como previsto na papelada que levo em mãos, cópias dos e-mails trocados entre a proprietária deste edifício e minha secretária. Digo, ex-secretária, nunca me acostumo com o fato de estar aposentado. Nem com o tal do e-mail, por mais que a ampla maioria das pessoas, inclusive as da minha idade, já tenha aderido à implacável internet. Sorrindo, tiro o chapéu para a mulher diante de mim. Apesar de não devolver o sorriso, ela me encara com uma tranquilidade amistosa, limpando as mãos no avental que cobre o seu vestido. Esbelta, cabelos pretos como um café ristretto e olhos azuis-acinzentados, trata-se de uma bela cinquentona, tu hás de convir comigo. Apertamos as mãos e tento explicar as razões que me levaram a chegar pela manhã, e não à tarde, conforme o combinado. Mas ela me interrompe com uma hospitalidade tão franca quanto brusca:

— Benvenuto, signore. Ecco qui la sua chiave.

Sonia Felice me entrega uma grande chave, que em tempos imemoriais deve ter sido dourada, com o número 34 gravado nela. Que pena. Depois de tanto ensaio mental ao longo da viagem, o discurso sobre a inesperada antecipação do meu voo se mostra desnecessário. A mulher aperta minha mão mais uma vez e se despede afirmando que jamais se deixa um risoto sozinho. Quando a porta se fecha, deixo escapar um "grazie" solitário, que bate nas paredes e volta para mim. Fico um tempo parado no corredor, sentindo o aroma que paira no andar. E sinto saudade do tempo em que podia comer risotos repletos de queijos e demais gorduras que insistem em tomar minhas artérias como lar.

Finalmente, resolvo subir o próximo lance de escadas. A assoviar, venço os degraus e ouço a minha música ecoar pelo velho edifício. No terceiro e penúltimo andar, um raio de sol invade o corredor através da única janela. A luz vai direto para a porta número 34. Bom agouro, não? Confesso que tanto aguardei pelo dia de hoje que agora tudo parece irreal. E para aumentar essa sensação, faço algo cada vez menos usual para meus vacilantes dedos: acerto, de primeira, a chave na fechadura. E com a firmeza de quem quer logo se sentir em casa, abro a porta e adentro meu quarto italiano com o pé direito.

Então, paraliso. E, meio dentro, meio fora do cômodo, com a mão ainda segurando a maçaneta, arregalo os olhos. Na grande cama que ocupa boa parte do pequeno recinto, me deparo com algo que não via há muito tempo: sexo. Um rapaz e uma moça, ambos bem jovens, em torno dos vinte anos. O garoto totalmente nu, afundado no edredom branco. De barriga para cima, olhos fechados e lábios apertados, com a expressão de quem faz um grande esforço para tentar impedir algo inevitável. Ela ajoelhada sobre ele, vestindo somente uma larga camiseta branca, subindo e descendo. Em estupefato silêncio, não deixo de reparar: o rosto dela tem a mesma expressão do Êxtase de Santa Tereza, famosa estátua de Bernini, maior escultor romano. Boca entreaberta, rosto levemente inclinado, olhar voltado para o alto, em júbilo celestial. Não sei quanto tempo fico observando, mas eles demoram a perceber minha presença. Quem primeiro me vê é a menina. E, para o meu espanto, ela não para o que está fazendo. Continua a subir e descer, me encarando com curiosa naturalidade. Então, diante de tudo isso e do meu limitado senso de improviso no idioma italiano, ajeito os óculos com a ponta do dedo e só digo uma palavra:

— Buongiorno.

O rapaz, magro e branco como um palmito, abre os olhos e se volta para mim assim que ouve minha voz. Assustado, ele desliza sob a acompanhante e se atira para o lado, caindo do outro lado da cama, onde não consigo vê-lo. A moça, entretanto, se mantém ajoelhada no colchão. Parece mais intrigada do que constrangida enquanto ajeita o farto cabelo castanho-claro e sorri com apenas o canto dos lábios. Nos encaramos por um longo momento até que seu amigo ressurge em um salto, totalmente vestido, como se fosse um número de mágica. Mas o truque termina sem sequer um aceno para o público: assim que reaparece, o magrelo desata a correr, passando por mim e sumindo escadas abaixo.

Quando me volto de novo para o quarto, a menina está caminhando em minha direção. Corro os olhos ao redor, tentando não olhar para o volume de seus seios que, livres de sutiã, fazem sua blusa balançar a cada passo. Mesmo assim, quando ela está bem diante de mim, não posso deixar de ler as palavras BUONGIORNO PRINCIPESSA escritas em letras grandes na camiseta. Aparentando ter despertado de um sono de cem anos, a jovem passa lentamente por mim. E no único instante em que me atrevo a olhar mais uma vez em seus olhos, ela diz:

— Bom dia.

Desconcertado, ainda com a mão na maçaneta, a observo partir de pés descalços pelo corredor. Em uma mão, leva sandálias, shorts e calcinha branca. Na outra, uma garrafa de vinho quase vazia, sem rótulo. Vestindo apenas camiseta, ela caminha até as escadas sem fazer nenhum barulho. E enquanto vislumbro o início de suas nádegas, reveladas a cada passo, consigo imaginar perfeitamente o que tu dirias agora: "Para quem queria fugir de brasileirices, começamos muito bem, não é mesmo?".

Tu és muito engraçadinha, meu amor.

𝒩em tudo são flores. Apesar do entusiasmo inicial com a nova vida romana, já faz mais de dez minutos que encaro a mim mesmo refletido na placidez desta água. E nada. Desde o princípio, desconfiei dessa história de cozinha embutida no armário. Tudo o que quero é cozinhar meu primeiro prato em solo italiano e nem sinal da água ferver sobre esta pedra fria, estranha pia misturada com fogão. Talvez seja uma intervenção divina, castigo por tentar cozinhar uma sopa light, dessas em pó, e não um spaghetti.

Antes que me dê um torcicolo, saio da frente da panela e sento em minha nova cama. Ela responde com um gemido hospitaleiro, vindo das entranhas do colchão. Corro os olhos pela pequena suíte e imagino os toques que tu darias a este lugar. Começarias pela cor das paredes, não? Mas, para mim, este verde desbotado está bom. Assim como o apertado banheiro, a velha cadeira de madeira, o singelo criado-mudo e esse armário com a minicozinha embutida. A dinossáurica televisão, presa a uma frágil estrutura de metal próxima à janela, parece que vai cair a qualquer instante, mas tudo bem. A única coisa que me perturba um pouco é o relógio de parede, grande e redondo, com o rosto do ex-papa alemão Bento XVI impresso atrás dos ponteiros. Que tipo de pessoa compra um suvenir do papa desistente? Confiro o horário: uma da tarde, em ponto. Rio sozinho, imaginando que tu não terias levado nem cinco minutos para dar sumiço nesse troço.

— Signor Bevilacqua?

Após duas leves batidas na porta, a senhoria chama o meu nome. Coloco os óculos e fecho o botão do colarinho da camisa antes de abrir a porta.

— Prego, signora Felice.

— Tutto a posto?

Se está tudo bem? Ótima pergunta. O fogão não funciona e um casal de desconhecidos fazia sexo em minha cama quando cheguei. Não, não está tutto a posto. Por isso, respondo:

— Non, signora. Devo dire che...

— Sì?

— Hã... che...

Me dá um branco. Assim, de improviso, não sei como relatar as coisas que aconteceram. Meu italiano está mais enferrujado do que pensei e a parte do casal, em particular, me parece difícil de relatar. Então, mecanicamente, me ponho a declamar o texto que havia decorado entre o aeroporto Fiumicino e a estação Termini, discurso que treinei com o dicionário ao colo. Sobre o adiantamento do meu voo vindo do Brasil, coisa fora do comum, um pedido de desculpas por chegar antes do combinado e minha disposição em pagar um eventual valor adicional pelo inconveniente. Nem uma palavra sobre o fogão ou o incidente com a menina dos cabelos castanhos e o garoto-palmito.

— Va bene, signor Bevilacqua: venti euro per l'arrivo prima dell'orario risolve tutto.

Surpreso por ela aceitar a proposta feita apenas por educação, abro a carteira e entrego vinte euros. A senhoria testa a cédula contra a luz, faz que sim com um meneio de cabeça e então me encara, apertando de leve os olhos, como se tentasse ver algo muito distante. Pela primeira vez, Sonia Felice presta atenção em mim. E tento conter um sorriso enquanto ela diz, apontando o interfone sem desviar o olhar do meu rosto:

— Bene, sono quasi sempre a casa. Per parlare con me, basta chiamare.

— Grazie, signora Felice.

— Scusi, ma... il signore assomiglia molto a...

Até que enfim. Faz tempo que ninguém percebe minha semelhança com...

— ... un artista. Ma non ricordo quale.

Francamente, minha senhora! Ainda mais vindo de uma italiana. Me faço de desentendido, erguendo as palmas das mãos, como quem não faz a menor ideia do que ela está falando. Sonia também dá de ombros e se despede. Uma hora ou outra, minha senhoria vai lembrar com quem pareço. Houve um tempo em que todo dia eu ouvia isso. Hoje, é raro.

Fecho a porta e, mais uma vez, cá estamos. Com um fogão que não funciona, o incidente em minha cama não esclarecido e vinte euros a menos na carteira. Em nenhum momento imaginei um início tão cheio de percalços. "Mas assim são as grandes mudanças, amore mio", tu dirias, sempre animada. Tudo bem, meu amor... ainda acho que foi a melhor ideia que eu poderia ter tido: deixar a minha própria cidade, onde me sentia um estrangeiro, e vir para onde eu fosse um de verdade.

Desligo o fogo que, ao que parece, jamais esteve aceso. Como confiar em um fogão cujas duas bocas são círculos desenhados em uma placa de metal? Sem chama, somente a crença de que a figura ficará quente a ponto de aquecer a panela. Um duro exercício de fé até para um católico como eu. Bem, meu primeiro prato italiano terá de ser terceirizado, em algum restaurante da região. Prevejo olhares de julgamento dos garçons quando eu pedir algum prato integral, com porção reduzida ou coisa que o valha. E enquanto penso nas infinitas possibilidades gastronômicas de Roma, boa parte vetadas a mim, ouço um chiado vindo da entrada do quarto. É um bilhete, que desliza pelo piso vindo debaixo da porta. Desafiando o ciático, me abaixo rapidamente, juntando o papel dobrado. Ao abri-lo, me surpreendo com o recado escrito à mão, em português:

"Obrigada por não contar".

Abro a porta, mas não há ninguém no corredor. Apenas sinto a presença de algo, como um vulto, sobre o capacho junto aos meus pés. Então, olho para baixo e imagino o quanto tu deves estar te divertindo com tudo isso.

São flores.

Abro a janela, mas deixo o vidro fechado. Somente a luz é convidada a entrar nessa fria manhã de segunda-feira. São sete e meia e o milagre europeu da calefação torna tudo aconchegante em meu quarto. Após o somatório de misérias aeroportuárias do trajeto Brasil-Portugal-Itália, os contratempos iniciais em meu novo lar e a caminhada para almoçar e comprar mantimentos na tarde de ontem, dormi por quase doze horas, feito inédito nos últimos anos. Desperto me sentindo tão bem quanto um velho com minha ficha médica pode se sentir e pronto para o ritual de sobrevivência matinal: café com pílulas. Sendo o primeiro, descafeinado. Em plena Itália, que Deus me perdoe.

Ainda me acostumando ao ambiente e aos utensílios, levo pouco mais de uma hora entre ducha quente, remédios e o arremedo de café, que bebo de olhos fechados, fazendo de conta que é um cappuccino con panna. Ouço um tilintar de buzina de bicicleta à rua e, enquanto faço o nó da gravata, me pergunto se é algum colega chegando para o nosso primeiro dia de aula. Instalado em um bairro não apenas próximo aos grandes pontos turísticos, mas também na mesma rua da escola de italiano em que me matriculei, lembro dos engarrafamentos de minha terra e sorrio para a nova vida de pedestre. E de estudante, quem diria? Quarenta e quatro anos se passaram desde o curso de italiano onde nos conhecemos, em 1973. No qual me matriculei só para te conhecer, único ato do qual verdadeiramente me orgulho na vida. Pena que, nas últimas décadas, meu exercício do idioma tenha se restringido aos filmes italianos que tento assistir sem legendas. Aos quais, cada vez mais, não resisto nem dez minutos acordado. Se quero morar aqui pelo naco de existência que me resta, preciso retomar o domínio dessa língua. Ao menos para o caso, sempre iminente, de precisar chamar uma ambulância.

Diante do espelho, fecho os botões dos punhos da camisa branca. Arrumo a gravata, a calça social e o chapéu Fedora, todos pretos. Para me proteger do frio, completo o visual com um sobretudo cinza. Enquanto coloco os óculos e encaro meu reflexo, sinto a tua presença. É como se, a qualquer momento, tu fosses surgir atrás de mim para beijar meu pescoço e, em seguida, limpar com os dedos a marca de batom. Mas nada acontece. E só consigo imaginar o teu vulto, sem rosto. Continuo com esse problema... posso sentir que tu estás comigo, mas não te vejo mais.

Está na hora. Antes de sair, cheiro as flores dispostas na panela sobre o fogão, na água que jamais ferveu. Observo o ramalhete de jasmins e me pergunto se foi o rapaz ou a moça quem me deu o presente. Rio de mim mesmo... só pode ter sido ela. Tento lembrar do seu rosto, mas também não consigo. Será que a reconheceria na rua? Não sei, nem quero saber. Agora que já viu que o quarto tem dono, espero que desapareça. Não foi para me meter em encrencas ou me dar a estranhos desfrutes que vim para Roma. É justamente o contrário: vim pelo dolce far niente, o famoso amor do italiano à arte de não fazer nada e ficar em paz. Pensando nisso, pego minha pasta com material escolar e parto rumo à aula. Ao sair, giro a chave três vezes. Tento a quarta, mas não há como trancar a porta mais do que isso.

Corro os olhos pelo pavimento e observo as outras três portas deste penúltimo andar, 31, 32 e 33, todas fechadas e silenciosas. Me pergunto quem seriam os vizinhos, além da senhoria que mora no andar de baixo. No acesso à escada que leva ao andar de cima, vejo uma quinta porta, mais maciça que as demais. Nela, a placa com os dizeres DEPOSITO: NON ENTRARE me faz sorrir por não haver possibilidade de inquilinos no último piso. Quantos serão os atuais locatários das seis câmaras disponíveis? Torço para que sejam poucos. Imagino este palazzo barulhento e movimentado nos meses de maio a agosto, a alta temporada, com seus viajantes de verão, ávidos por uma rusga com o velho que dorme cedo, reclama de música alta e se incomoda com cheiro de maconha. Antes que me irrite por antecipação, o frio do corredor me lembra que ainda estamos em janeiro. Que seja longo o inverno.

Desço as escadas, ultrapasso o segundo andar e logo chego ao térreo, onde a umidade e a poeira são um convite irrecusável à rinite. Abro a pesada porta verde, deixo o ar gelado golpear meu rosto, me encolho dentro do sobretudo e saio à rua. Daqui até a Scuola Romit, são apenas alguns passos. É lá que, de agora em diante, passarei minhas manhãs, das nove à uma da tarde, entre aulas de gramática e conversação. Estudando e aprendendo a ser menos turista e, quem sabe, mais romano.

— Signor Bevilacqua!

Segurando o chapéu para que o vento não o roube, olho para cima, procurando quem me chama. Sob o céu de chumbo, tanto na cor quanto no peso das nuvens, vejo Sonia Felice com meio corpo para fora da janela de seu apartamento. Ela me olha ansiosa, sorrindo pela primeira vez. Com um cumprimento de cabeça, grito em resposta:

— Prego, signora Felice!

— Mi sono ricordata quale artista il signore assomiglia!

De dedo indicador em riste, a mulher parece exultante por enfim lembrar com quem me pareço. Finalmente! Aliás, já estava estranhando que, estando há quase vinte e quatro horas na Itália, ninguém houvesse percebido ainda. Por isso, é com alívio e satisfação que tanto eu quanto minha senhoria ouvimos a resposta que sai de sua boca e ecoa pelas paredes estreitas da Via del Boschetto:

— Marcello Mastroianni!

Balanço a cabeça para os lados e aceno para o vazio, fingindo não concordar. Mas não sei se sou convincente. Afinal, nunca fui ator. Apenas me pareço com um. Por sorte, o teu favorito.

—*B*uongioooorno!

A saudação, animada demais para uma manhã de segunda-feira, arranca a turma do torpor. Sete indivíduos, tomados pela expectativa que toda pessoa sente quando se vê em um grupo de estranhos que sabem que fatalmente terão que se conhecer. Seis alunos sentados, mais a professora, que se mantém em pé diante da lousa branca, daquelas em que se escreve com caneta hidrocor ao som de nhec-nhec. Apesar da sala grande demais para tão pouca gente deixar o ambiente ainda mais frio, me congratulo de novo por ter escolhido a baixa temporada. Menos colegas para interagir.

— Benvenuti! Mi chiamo Carmela Moretti e sono la vostra insegnante. In questa classe, parliamo solo la lingua italiana. Va beeeene?!

Os alunos aquiescem com a cabeça, encolhidos em seus casacos, sorrisos congelados. Signora Moretti se expressa em tom infantil, claro e lento, na corda bamba entre o didático e o debiloide. Um tenso silêncio se impõe após a sua introdução e percebo, de soslaio, que todos sentem a mesma aflição: não saber se devem encarar ou não a professora. Qualquer contato visual pode significar um convite a iniciar o mais tenebroso de todos os rituais de iniciação do gênero humano: apresentar-se à turma no primeiro dia de aula. No caso, com a brutalidade de ainda ter de fazê-lo em uma língua que não é a sua.

— Bene, amici... la prima cosa da fare èeeee... presentarsi!
Silêncio em toda a Itália.
— Cominciamo da...
Engulo em seco. Mesmo sendo o mais velho da turma, agora percebo o quanto fui inexperiente. Cometi um erro tolo ao sentar em uma das pontas do semicírculo de alunos. Ou seja, as apresentações vão começar ou terminar por mim. E ninguém quer ser o primeiro. Por que os professores não vão logo ao que interessa, a aula em si? Não quero conhecer ninguém. Meu amor, essa é uma boa hora para usar tua influência aí por onde estás e me dar uma ajuda.
— ... te!
Carmela Moretti sorri para a incauta posicionada no ponto mais distante de mim. A desafortunada, olhos arregalados, aponta vacilante para o próprio peito, na vã esperança de que a sentença não tenha sido para si. Mas a professora confirma a escolha, para desafogo geral. E ainda faz um sinal circular com a mão, indicando a ordem que as apresentações seguirão, de tal modo que serei o último na linha gaguejatória. Obrigado, meu bem. Ainda essa semana, dou uma passadinha no Vaticano para prestar contas.
— Uhm... io mi chiamo... Thelma Adams.
A professora encara a aluna, querendo mais. Após longa pausa, Thelma percebe que não há escapatória, senão prosseguir.
— Io... sono... americana.
Nova pausa. Todos mantêm sorrisos pétreos, em dúvida entre prestar atenção na colega ou pensar no próprio discurso.
— Hm... well, I come from...
— In italiaaaaaaaano!
A interrupção brusca da professora ecoa pela sala e assusta a todos. A americana, uma senhora de cerca de ses-

senta anos, óculos com armação em forma de olhos de gato e cabelos tingidos de vermelho-tomate, geme baixinho. Apesar de sentir profunda compaixão por seu suplício, faço como os demais e a observo com intensidade, evitando o olhar da professora, que detém o poder de, a qualquer momento, mudar a ordem das apresentações. Penso nos turistas que neste instante visitam o Coliseu, perto daqui. Não fazem ideia de que a melhor simulação de arena romana encontra-se nesta sala.

— Ok... mi chiamo Thelma... vengo degli Stati Uniti... ho cinquenta e nove anni e sono... how can I say lawyer?

— Avvocata. Sei una avvocata, Thelma. E perché sei venuta a Roma?

— Well... sono venuta a Roma perché... hmm... perché... amo la Italia?

— Brava! Benvenuta, Thelma!

Enquanto a advogada americana suspira aliviada, o jovem magro e alto sentado ao seu lado demonstra absoluto controle sobre seus nervos, se apresentando com desenvoltura. Parece ter ensaiado antes, provavelmente diante do espelho, ajeitando o gel de seu cabelo louro. Como se fosse um aluno de nível mais avançado, apresenta-se como Laszlo Lupichinski, polonês de vinte e oito anos, formado em comunicação. Em longo e confiante monólogo, ele se diz entusiasta das boas coisas da vida, amante das artes, da natureza e da meditação, tendo por hábito saudar o nascer do sol todos os dias. Cita Petrarca, fala de Boccaccio, canta Puccini. Por fim, declara que é um estrangeiro com alma italiana e que ama este país como ninguém. Um chato de primeira.

— Bravissimo, Laszlo! Benvenuto! La prossima?

Agora é a vez de Kaori Hasegawa, miúda japonesa de vinte anos, que faz a performance de miss Adams parecer um show de eloquência. Pior que sua timidez somente o fato de não conseguir pronunciar o fonema R, de modo que só descobrimos que seu nome não é Kaoli quando a professora, assim como fez com os anteriores, escreve o seu nome no quadro branco. A menina não parece ser capaz de falar mais de duas palavras sem dar uma risadinha nervosa, que faz seu longo cabelo preto balançar. E tudo que consigo compreender é que, é claro, ela ama a Itália.

— Brava! Benvenuta, Kaori. Il prossimo?

Então, eis o que tanto rezei para não acontecer: os próximos dois colegas são brasileiros. Mateus e Vinícius, dois rapagões de vinte e seis anos, um moreno, e o outro, loiro. Melhores amigos e estudantes de qualquer coisa que justifique um trimestre de vagabundagem mundo afora. Após um mês na Austrália e outro na Nova Zelândia, essa é a última parada da dupla. Claramente de ressaca, eles falam como se fosse um jogral: cada um diz uma frase, ambos se intercalando e interrompendo. Até que, veja só que original: eles dizem que também amam a Itália.

— Bravissimi, Mateus e Vinícius! Benvenuti! Il prossimo?

Enfim, minha vez. Todos me olham, pagando para ver o que tenho na mão, como a rodada final de um jogo de pôquer. Só que sem cartas, nem vencedores.

— Hã... Buongiorno.

Longo silêncio. A ponto de obrigar a professora a intervir.

— Non sia timido, caro. Avanti!

— Hm... mi chiamo Roberto. E... hmm... bem... eu sou...

— In italiaaaaaaaaano!

A advertência da signora Moretti quase leva a turma a nocaute auditivo. Quando o eco termina, ouço o rufar de pombos lá fora, fugindo pelos ares. Então, sinto meus dedos se agitarem e uma estranha eletricidade percorrer a pele. E é aí que algo surpreendente acontece, como se o susto tivesse me destravado. Se ontem me deu um branco diante de minha senhoria, agora ocorre o inverso: desato a falar. Em italiano fluente, emulando inclusive o sotaque, com os altos e baixos de quem não discursa, mas declama. Vejo minhas mãos regendo as palavras no ar, gesticulando como só os italianos fazem. É uma sensação maravilhosa, quase um transe. Deixo a voz fluir, sem represá-la, e tal é o meu afã que nem reparo no que digo. Empolgado, conto que sou brasileiro. Revelo que tenho setenta e dois anos, que sou securitário, que cheguei a ser diretor de uma grande seguradora, mas fui obrigado a me aposentar por essa mesma empresa, onde trabalhei a vida inteira. E, por fim, divido com todos que sou irremediavelmente viúvo, que perdi minha única filha e que me mudei para Roma decidido a morrer aqui.

Novo silêncio. Diferente de até então, meus colegas agora olham diretamente para a professora. Que, após escrever meu nome no quadro, pela primeira vez fala em tom de voz adulto:

— Benvenuto, Roberto. Vuoi dire qualcos'altro?

Se quero dizer mais alguma coisa? Que mulher exigente. O que tu dirias em meu lugar, Alice?

— Hmm... amo l'Italia?

— Bravo.

Apesar do clima glacial, resolvo caminhar para aquecer o corpo e entorpecer a mente. Com passadas lentas, atravesso a Avenida Cavour, uma das principais artérias de Roma, e me distancio da Scuola Romit. Após duas horas de aula de gramática e outras duas de conversação, o barulho do trânsito é um bálsamo. Os motores e as buzinas do tráfego intenso soam mais agradáveis que a conversa repetitiva de meus deslumbrados colegas. Não quero saber de suas cidades, filhos e cachorros, nem vim de tão longe para conhecer estrangeiros como eu. Vim para me ocultar entre os romanos, esse povo que passa por cima de tudo, alheio a rastros e escombros.

Entro no primeiro café que encontro e peço um descafeinado. Para não ficar tão feio, peço também um sanduíche. Entre tantas opções de carnes e embutidos, suspiro e escolho um de frango desfiado. Em pão integral e sem queijo, molho ou qualquer tipo de sabor. Enquanto o atendente prepara meu pedido, fantasio que o que está a caminho é um panino di mozzarella di bufala e prosciutto crudo. Salivo, imaginando o abraço do presunto cru na mais gorda das muçarelas, envolvidos em um aconchegante pão ciabatta. Nessa visão, adiciono rúcula, o único item que realmente posso comer, e aí temos um recheio nas três cores da bandeira italiana. O garçom serve meu pedido real, não o imaginário, e suspiro mais uma vez. Então, ergo a garrafa de azeite de oliva do balcão e faço um movimento circular sobre o lanche, porém sem derrubar nenhuma gota. Um generoso fio de azeite extra virgem e imaginário. Depois, fricciono os dedos no ar, sobre o sanduíche, adicionando uma pitada de sal também fictícia, em melancólico tributo aos meus mais fiéis companheiros: colesterol e pressão alta. Bebo o contraditório café descafeinado e desfruto do singelo almoço sonhando com sabores há muito renunciados. Com o canto do olho, noto que o garçom observa meus modos estranhos. Para disfarçar, ele oferece açúcar e adoçante. Mas tanto por questões glicêmicas quanto morais, recuso. Açúcar no café, nem brincando.

Após a refeição, me vejo sem ter o que fazer. Como passaremos o restante desta primeira segunda-feira? Já sei. Que tal uma visita à Basilica di San Pietro in Vincoli, perto daqui? Reencontrar nosso velho amigo. Quem sabe, diante dele, teu rosto ressurja para mim? É hora de colocar em prática o grande plano, o último que me resta: te rever através dos lugares que visitamos. Assim, com passos confiantes, logo me aproximo da fachada simples e nada atraente da basílica. Nem parece uma igreja. Um prédio velho e amarelado, cinco arcos e cinco janelas na fachada, sobre uma curta escadaria. Sorrio ao ver um animado grupo de turistas passar reto pelo edifício, rumo ao Coliseu, sempre o Coliseu. Ignorantes.

Tiro o chapéu, faço o sinal da cruz e adentro a nave da igreja. Mais de quarenta anos depois, tudo igual: os afrescos no teto, as correntes usadas para aprisionar São Pedro em Jerusalém, os túmulos de cardeais obscenamente ornamentados. Obras que tu sabias descrever uma a uma, discorrendo sobre datas e curiosidades, sempre com o teu almanaque em mãos. Que fim levou aquele livro que tu carregavas durante nossa lua de mel? Eu deveria ter guardado. Em um relicário, tal qual as famosas correntes expostas no altar.

Aí está ele, nosso velho amigo. A imponente estátua do profeta dos dez mandamentos. Sussurrando, digo "Ciao, Moisés". Sentado em seu trono, a impressão que dá é que ele vai se levantar a qualquer momento. Quem sabe para me cumprimentar de volta? Impossível. Não a ideia do homem de mármore se erguendo. Afinal, milagres acontecem e o Vaticano é logo ali. O que não soa plausível é que o velho Moisés me reconheça para retribuir o olá. Porque se ele continua o mesmo, em plena forma desde o século xiv, o mesmo não pode ser dito sobre mim.

Fecho os olhos e tento lembrar de nós dois aqui. Ouço novamente sua aula sobre a estátua, o dedo a correr pela página do guia de viagem. Mas, como nos últimos tempos, só consigo recordar de ti aos pedaços, sem encaixá-los em uma imagem inteira. Teu cabelo ondulado e bagunçado, à altura dos ombros, que balançava quando tu rias. Teus grandes olhos castanhos. A boca pequena, mas de lábios arrebatadores, dizendo que essa escultura é aquela que fez Michelangelo gritar "parla!" ao concluí-la, tal a perfeição de suas feições.

E foi o que também fizemos. Nada de original, tanta gente faz quando vem aqui. É como ir a Pisa e tirar uma foto como se estivesse segurando a torre torta. Bobos, nos pusemos a gritar "parla!" diante do inerte Moisés. Ele, porém, manteve sua expressão séria, como se não respondesse por estar de birra conosco. Nós ríamos, lembra? Como todo casal em lua de mel, dois belíssimos imbecis, idiotamente apaixonados. E nossa felicidade podia ser medida pelas caras de desaprovação das pessoas ao redor.

É... não funcionou. Teu rosto não me apareceu. Ele continua um vulto em minha memória e só me resta reabrir os olhos. Abro também a carteira, de onde saco a única fotografia que ainda tenho de ti. Preta e branca, do dia de nosso casamento. É uma pena que as noivas vistam roupas tão paramentadas, tantos panos e véus. Mal vejo o teu rosto na imagem e franzo o cenho diante da foto desbotada. A ideia de visitar os lugares onde fomos felizes para tentar te rever até era boa. Mas a realidade do meu envelhecido cérebro venceu.

Meus olhos ficam marejados e balanço a cabeça, me negando a fazer o papel do idoso desamparado. Acho que me saio bem, ninguém ao redor nota minha tristeza por perceber que, agora, é definitivo: diferente de nossa filha, cujo rosto ainda recordo tão bem, de ti só restou este registro amarelado. Por mais que eu insista no hábito senil de falar contigo em pensamento, nunca mais vou te ver. Ficaram só lampejos: a risada, um vestido floreado, o pé que pedia massagem, o modo como te encolhias na cadeira do cinema, segurando a vontade de fazer xixi, sem querer perder nada do filme. Fragmentos. Como se eu tivesse quebrado um vaso de valor inestimável, que não consigo reconstruir. E cujos cacos nunca paro de encontrar, mantendo sua ausência sempre presente.

Tiro os óculos, limpo as lentes com um lenço e, com um movimento discreto, passo o tecido sobre os olhos também. Não te preocupes, Alice. Passar o fim da vida no lugar onde vivemos nossa lua de mel, no longínquo junho de 1976, alheios a tudo o que ainda estava por vir, continua me parecendo a atitude certa a tomar. Ainda mais para mim, que tanto pequei justamente por não tomar nenhuma.

Surpreso, me flagro sorrindo, caduco que só. Sei que, aos setenta e dois, muita gente não se considera velha. Diria até que a maioria das pessoas talvez ainda se ache nova a essa altura, cheia de energia e planos. "Melhor idade", dizem as motivacionais propagandas de cola para dentadura. Parado diante da corda de contenção que separa os turistas desse monumental e musculoso homem de barba branca, me pergunto quando é que, efetivamente, nos tornamos idosos. No meu caso, acho que foi no instante em que tu te foste, me deixando sozinho com nossa menina. E depois... estancando esse pensamento, levo as mãos aos bolsos, dou as costas à estátua e vou embora. Moisés há de me perdoar se não tenho a mesma animação de quarenta e um anos atrás para ficar pedindo que ele fale. Depois da aula de conversação de hoje, para mim chega de papo.

*A*cho que é o maior fracasso da história da culinária desde que o romano Apício, contemporâneo de Cristo, escreveu *De re coquinaria*, um dos primeiros livros de receitas da humanidade. Mais uma vez, encaro meu reflexo diante de uma água que não ferve. Vejo meus cabelos cinzentos emoldurando um rosto inchado, frustrado diante deste fogão tão moderno quanto inútil. Penso de novo em Apício, que dilapidou seu patrimônio e gastou toda a sua fortuna criando pratos extravagantes, buscando ingredientes raros e experimentando manjares. Enquanto eu não sou capaz de fazer um chá.

De todo modo, sequer sabia qual era o sabor que estava tentando fazer. Os saquinhos, resquícios de locatários anteriores, estavam soltos dentro de uma gaveta da cozinha embutida, esquecidos sabe-se lá há quanto tempo. Bem feito, é nisso que dá tentar fazer chá na terra do café. Mas é quase meia-noite e nada do sono aparecer. Já caminhei, engoli meus remédios, fiz a lição de casa, tomei um longo banho morno e, por fim, mais remédios. Sabia que pagaria caro pelas doze horas de sono da noite anterior.

Olho para o interfone e me pergunto se é tarde demais. Quantas vezes já não me perguntei isso por razões diferentes? Ignoro esse pensamento e decido interfonar. Ensaio mentalmente: "Desculpe o horário, senhora Felice, mas há um problema com o fogão. Poderia me ajudar?". Com ajuda do dicionário, traduzo tudo para o italiano e treino um pouco diante do espelho do banheiro. Penso várias vezes no que vou dizer. E quando interfono, o relógio do ex-papa alemão marca meia-noite e quinze.

— Pronto.
— Buonasera, signora Felice.
— Prego, signor Bevilacqua.
— Io... hã... problema.
— Un attimo, per favore.

Ela pede um instante e desliga, enquanto suspiro diante de mais um fracasso. Coloco os óculos, ajeito a gola da camisa e aguardo em pé, próximo à porta. Mas quando os ponteiros de Bento XVI indicam que já faz dez minutos que estou esperando, resolvo sentar na cama. Disso não posso reclamar: o colchão mais macio em que já deitei. Há muito tempo não dormia tão bem como na noite passada, sem ter que levantar de hora em hora para atender ao apelo da bexiga. Acaricio o edredom branco, sinto seu perfume de amaciante misturado ao cheiro dos jasmins que ainda repousam na panela. Deixo escapar um longo bocejo. É quando ouço três batidas na porta, que abro sem demora.

— Olá.

Parada no corredor, a menina do incidente de ontem me cumprimenta. Balbucio um "ciao" como resposta e ela entra no quarto. Vestindo camiseta regata de time de basquete americano, ao que parece tamanho GG, não tenho como saber se está de shorts curto ou se desfila só de calcinha. Na verdade, pela falta de sutiã, temo que nem calcinha esteja usando, como da outra vez em que a vi. E isso me faz conversar com ela olhando sempre para algum ponto atrás de sua cabeça, evitando contato visual, como um autista. Ela, porém, não parece se importar:

— Então... qual o problema?
— Hm?
— Você interfonou dizendo estar com um problema e mamma pediu para eu subir e ajudar.

Essa foi a frase mais longa que a ouvi dizer. Pela primeira vez, percebo o sotaque italiano. Mesmo assim, seu português é impressionante. Fluído, natural. Destemido.

— Mas... a senhorita fala minha língua?

Ela ri da óbvia constatação, mas logo retoma o tom indolente e amistoso, a cara de quem acaba de acordar e tenta lembrar o que sonhou. Percebendo o meu constrangimento, a menina diz:

— Podemos começar de novo? Acho que nosso primeiro encontro não foi nada... como se diz?
— Recatado?
— Ortodoxo.

Ela estende a mão e, com firmeza, aceito o cumprimento. Reparo em suas unhas, com esmalte verde descascado em todos os dedos. Ela percebe minha avaliação, mas não dá bola.

— Serena. Prazer.
— Roberto Bevilacqua. Quer dizer que tu és filha da senhora Felice?
— Sim.
— Então, teu nome é Serena... e o sobrenome, Felice. É isso mesmo?
— Ecco! Serena Feliz, no seu português.

Ambos sorrimos, mas sem abrir os lábios, nem desfazer o aperto de mãos.

— É um bom nome, senhorita Felice.
— Grazie, Roberto.

Relato a questão do fogão e ela aquiesce com a cabeça, atenta. Ao olhar para a fonte do problema, deixa escapar um "che carino" quando vê os jasmins que me deu, dispostos na panela. Com delicadeza, leva o vaso improvisado ao criado-mudo e se volta mais uma vez ao eletrodoméstico dentro do armário, testando botões. Nesse ínterim, faço perguntas. Serena não se constrange quando questiono sua idade: vinte e quatro anos. E conta que seu trabalho é ajudar a mãe a administrar o edifício, que sempre pertenceu à família. Quanto ao português, a fluência veio do convívio com os inquilinos, vindos de toda parte, com os quais lida desde a infância. Também fala inglês, espanhol, francês e arranha no russo e no japonês. É boa com línguas, afirma. E como não encontro nada a dizer depois disso, ela prossegue:

— Não há nada de errado com o fogão, Roberto. Veja: são dois botões. Esse, você aperta e tira o dedo, para ligar. O outro, aperta e segura até o círculo na chapa ficar vermelho... assim.

O calor que emana do utensílio parece um pequeno milagre. Logo o ar aquece no entorno do armário, repleto de louças e artefatos de cozinha pendurados. Maior que o contraste do móvel antigo com um fogão moderno dentro, só a presença desta solícita *ragazza* de fartos cabelos castanhos, vestida com uma grande e brilhosa camiseta regata, ao lado de um velho como eu.

— Grazie mille, signorina Felice.

— De nada. Você pode falar em português mesmo, eu gosto.

— Estranho... tu usas o você ao falar português. Por que não usas o tu, como na língua italiana?

— A maioria dos brasileiros que conheci falava assim. Além disso, o Google Translator e os apps de reconhecimento de voz também preferem o você ao tu.

— Não entendi nada da segunda parte do que tu disseste, mas o que importa é que agora sei usar o fogão. Muito obrigado. Devo alguma coisa?

— Não. Mas aceito.

— Hã?

— Não costumo pedir dinheiro. Mas também não nego se me oferecem.

Franzo o cenho. E, a contragosto, abro a carteira e lhe dou uma cédula de cinco euros. Puxou à mãe.

— É um pensamento bem brasileiro, esse teu. Tens certeza de que és italiana?

— Isso é um elogio?

— Acho que não quando vem de alguém como eu, que tenta se tornar italiano.

— Então, você quer ser um mammone?

— O quê?

— Mammoni são homens adultos muito apegados às mães, dominados por elas. Acontece com a maioria dos italianos, sabe? E isso não é um elogio. Sua mãe ainda é viva?

— Ela... faleceu quando eu ainda era criança. Poucos anos depois, meu pai também se foi... que Deus os tenha.

— Bom para as mulheres com quem você for sair.

Irritado, digo que não pretendo travar esse tipo de relação. Mas ela ignora meu comentário e prossegue:

— Porque não há rivalidade maior que entre nora e sogra italiana. E a culpa é do homem, que não se impõe diante da mãe e quer que a esposa cuide dele como se fosse um bambino. Bem, talvez isso não seja um mal exclusivo dos nossos homens... mas, se eu fosse você, não contaria a ninguém essa vontade de se tornar italiano. Me contentaria em apenas me parecer com um. E não com um qualquer.

— Tu achas que pareço com alguém?

— Você sabe. Vi quando mamma gritou da janela.

— Ah, sim... já ouvi isso antes... se bem que, hoje em dia, eu esteja mais para o Mastroianni de *Pret-à-porter* do que para o de *Noites brancas*.

— Como?

— Filmes em que ele atuou... *Pret-à-porter*, um dos últimos, e *Noites brancas*, quando ainda era galã e... deixa pra lá.

Ela sorri, como quem realmente deixa pra lá e não complica as coisas. E quando mostra os dentes, percebo um detalhe sutil em seus lábios. Parecem manchados, uma pincelada em tom violeta escuro.

— Bem... obrigado mais uma vez, senhorita Felice. Se precisar, chamo novamente.

— Certo. Boa noite, Bello.

— Bello?

— *Il bello Antonio*. É um filme com Mastroianni, no?

— Sim, claro... um dos mais conhecidos.

— Então, vou lhe chamar de Bello. Não gostaria de me referir a um amigo como "senhor Bevilacqua". Não gosto de senhores. Nem de beber água.

Atônito com as ideias dessa menina, abro a porta para que ela se vá. Ela entende o gesto e caminha rumo ao corredor. Nisso, a barra de sua camiseta se ergue por um rápido instante e vejo que ela está de shorts dessa vez. Fico tão aliviado que até encontro algo espirituoso a dizer:

— Me desculpe por ter interrompido o seu vinho, senhorita Felice. Isso não é coisa que se faça.

— Como você sabe que eu estava bebendo vinho?

— Seu sorriso não mente.

Ela leva os dedos à boca, tocando a marca arroxeada que a bebida deixou nos lábios. E ri, dizendo:

— Bravo, Bello!

Quando Serena sai, fecho a porta e coloco água para ferver. Em poucos minutos, o apito da chaleira soa e me sinto um novo César, com pleno domínio desta cidade. É uma da manhã e me dou conta de que em nenhum momento conversamos sobre o incidente de ontem, em minha chegada. Dou de ombros. Apenas preparo o chá de sabor não identificado, ligo a televisão pela primeira vez, deito na cama e me ponho a bebericar. Fico trocando os canais, tentando atrair o sono. E só então me lembro que, em *Il Bello Antonio*, Marcello Mastroianni fazia o papel de um homem que sofria de impotência.

—Buongiooorno, Roberto!

Todos se voltam para mim. Sinto meu rosto ruborizar enquanto entro na sala de aula bem depois das dez da manhã. Sussurro um encabulado "buongiorno" e os demais sorriem com indulgência. Sento na primeira cadeira desocupada que encontro e meus colegas me olham como se estivesse tudo bem. Mas não está. Em quase cinquenta anos de trabalho em seguros, raras foram as vezes em que me atrasei. E acho que, em toda minha vida adulta, é a primeira vez que não tomo café da manhã. Não, seus imbecis, não está tudo bem.

— Forte a noite, tio?

Um dos brasileiros me cutuca, com pretensa cumplicidade, como se termos a mesma nacionalidade fosse um elo a nos unir. Mateus ou Vinícius, não sei qual é qual. O outro da dupla está dormindo, recostado na cadeira, olhos ocultos sob óculos escuros, como se essa fosse uma piada original. Pelas olheiras dos dois, talvez a noite deles tenha sido forte. E a piada, percebo, está no fato de que a minha, é óbvio, não pode ter sido. Mesmo assim, consegui a proeza de chegar mais atrasado do que eles. Com certeza, meu colega imagina que dormi mal apenas porque, na velhice, tudo se faz mal. Por isso, respondo com um sincero:

— Vai te catar.

Mateus ou Vinícius arregala os olhos, mas não desfaz o sorriso. E se afasta, agora cutucando o outro, que acorda sobressaltado. O primeiro diz para o segundo: "O tio é loucão". E o outro, mesmo sem saber o motivo da afirmação, desata a rir.

— Ragazzi, attenzioooone!

A professora chama a nossa atenção e a aula de gramática prossegue. Apesar da sonolência, do frio e do estranho sonho que tive esta madrugada, emprego toda a minha atenção nas lições de substantivos da signora Moretti. Seu tom arrastado é um desafio a quem luta para se manter acordado. Mas se a noite é dos jovens, a manhã é a jurisdição do idoso e nada vai abalar minha meta de aprender logo essa língua. Ou melhor, retomar o domínio que já tive dela.

Isso me lembra de quando te conheci. Que, onde quer que estejas, certamente deves estar desesperada com o estado da camisa que visto, ainda mais amassada que minha cara. Mas dá um desconto, Alice. A culpa é tua, por quase me matar do coração essa madrugada. Será que tu estavas tentando te redimir por me dar um bolo diante da estátua de Moisés? Se sim, fizeste muito bem. Podes me aparecer em sonho quantas vezes quiseres. Só não precisava ter sido um tão estranho... por que surgir dentro da televisão, onde não posso alcançá-la? Acordei perdido, com a tevê ainda ligada, já de dia. E levei um bom tempo para entender que estava atrasado para a aula. Acho que fiquei uns dez minutos deitado, olhando para o teto, tentando gravar na mente a súbita lembrança do teu rosto. Ainda tento. Um bocejo irresistível me assalta e coloco a mão sobre a boca, tentando segurar... em vão.

— Robeeeeeerto!

Quase engasgo. Em poucos anos, Carmela Moretti vai entender que assustar um velho não é coisa que se faça.

— Prego, signora Moretti.

— Dammi un aggettivo.

A professora me pede um adjetivo em italiano e, por reflexo, olho para os meus conterrâneos. Agora, os dois fingem que dormem. Me volto suplicante para a professora, mas ela sorri para mim como se não os percebesse e só me resta responder. Então, folheando as primeiras páginas de meu pequeno dicionário, busco um adjetivo adequado aos colegas tupiniquins. Fico feliz quando encontro um que funciona tanto em português quanto em italiano. E faço questão de, olhando para Mateus e Vinícius, dizer:

— Analfabeta, signora.

— Bravo, Roberto! Un analfabeta è una persona che non sa leggere o scrivere.

Signora Moretti faz, então, um longo discurso sobre o analfabetismo na Itália, sua incidência mais acentuada nas regiões pobres do sul. Ou algo assim, não consigo compreender tudo. Só sei que ela continua me olhando.

— Va bene, Roberto... e qual è il sostantivo di analfabeta?

Como assim? Não! É uma pergunta por aluno! "Pergunte a outro!", meu olhar clama. Mas a professora mantém seu sorriso inclemente. E, resignado, tento responder qual o substantivo italiano para analfabeto.

— Hm... analfabeti... tudine?

— No.

— Analfabeti... zzazione?

— Noooo.

— Analfabeti... tudi... nanza?

— Nooooooooo...

Com um suspiro, me rendo, curvando os lábios para baixo e erguendo as palmas das mãos. É quando outra voz rompe o silêncio, triunfante:

— Analfabetismo!

— Bravo, Laszlo!

Mateus e Vinícius não estavam dormindo de verdade. Sei porque escuto suas risadas, se divertindo com a situação. Mas não os vejo, apenas ouço. Porque meu olhar é capturado pelo sorriso exultante do polonês. Que olha para mim enquanto a palavra dita por ele, idêntica à que usamos em português, é escrita em hidrocor na lousa branca, ao som de nhec-nhec.

— *C*iao, maritozzo.

Encaro meu biscoito integral, mas ele não responde ao cumprimento. Talvez tenha se ofendido. Afinal, ele está longe de ser um maritozzo, cremoso pão doce típico de Roma. Observo meu ressequido lanche e uso toda a imaginação para fantasiar que, uma vez em minha boca, ele se transformará no voluptuoso confeito romano, recheado com uma quantidade imoral de panna cotta, mistura de nata com chantilly que só a Itália sabe fazer. Mas já na primeira mordida, a farelenta realidade se impõe. E à minha água mineral sem gás, resta aceitar a má companhia. Fosse um cappuccino, ela seria inaceitável.

Me perdoa, meu amor, mas existe algo que me dá tanta saudade quanto tu: comer livremente. Já nem sei há quanto tempo sou um prisioneiro dos resultados dos exames de sangue. Lembra do maritozzo enorme que dividimos naquela cafeteria da Piazza San Lorenzo? As mesinhas na rua, os guarda-sóis brancos. Tento rever teu nariz sujo de panna cotta graças a uma mordida mais afoita, mas teu rosto volta a me escapar. E sinto vontade de passar o dia na cama, deitado, torcendo para sonhar de novo contigo.

Bebo um gole d'água e olho ao redor. Na cafeteria da Scuola Romit, meus colegas e os alunos de outras turmas se esbaldam durante o recreio, entre as aulas de gramática e conversação. Animadas conversas bilíngues, misturando o italiano ao inglês. Todos fazendo o possível para se entenderem ao redor de cappuccinos e pães recheados da infalível Nutella. Inspiro profundamente e tento sentir os perfumes de seus lanches. Mastigo mais um biscoito e amaldiçoo minha tríplice coroa de espinhos: colesterol, glicemia e pressão. Tento ver o lado bom: ao menos, sozinho nesta mesa, fico em paz. Vejo, à distância segura, Mateus, Vinícius e Laszlo digladiando-se para ver quem vai comer a japonesa Kaori. Fico cansado só de observar tanta energia sexual camuflada de camaradagem estudantil.

— Ciao, Roberto. Posso?

Thelma Adams, a americana da turma, me desperta com seu italiano enrolado. Me oferece companhia e, desanimado, indico a cadeira vazia diante de mim. Com aprumo, ela passa a mão pelos cabelos escandalosamente vermelhos e ajeita sua bandeja com espresso duplo e brioche de chocolate bem na minha frente. Ficamos um bom tempo em silêncio, ouvindo nossas mastigações. Nervosa com a falta de assunto, miss Adams tira e põe os óculos de gato, vacilante. Até que, por fim, fala:

— Incredibile, Roberto. Sei uguale.

Ela diz que sou igual, mas não diz a quem. Sigo calado, com meus biscoitos insossos. A americana prossegue:

— Sei uguale a Marcello Mastroianni.

— È vero?

— Yes!

Bebo minha água, fingindo indiferença. Ela segue me olhando fixo, impressionada.

— È in-cre-di-bi-le. Really amazing!

— Hm... grazie, miss Adams. Mastroianni era un bravo attore.

— Thelma... only Thelma, please.

— Grazie, Thelma. Ma penso di essere più il Marcello Mastroianni di *Pret-à-porter* che quello di *Le notti bianche*...

Faço o mesmo gracejo que tentei com Serena. Ela me olha confusa. Ao que parece, a piada nunca funciona. Mesmo assim, tento explicar:

— Films con Mastroianni... movies.

Com uma mão, faço uma espécie de luneta diante do rosto. Com a outra, giro uma manivela imaginária, tentando imitar uma câmera. E logo me dou conta de que, há muito tempo, as câmeras já não são mais assim. De qualquer modo, isso faz minha acompanhante abrir um largo sorriso, como se todo o botox perdesse o efeito em um passe de mágica. E, exultante, ela diz:

— *La dolce vita*!

É triste. Mastroianni atuou em mais de cento e quarenta filmes ao longo da carreira, mas só lembram de *La dolce vita*. Este que talvez seja um dos filmes mais aclamados e queridos pelos cinéfilos do mundo todo. Mesmo que, de fato, a grande maioria nunca o tenha realmente assistido.

— Sì, sì, Thelma... *La dolce vita*.

Com um suspiro, mordo minha última bolacha integral. Enquanto a americana abocanha seu brioche e, radiante, me brinda com um sorriso de Nutella.

𝒜pós uma salada literalmente sem sal e um Ice Tea desprovido de alma, decido seguir desafiando o sono com uma caminhada pós-aula. "O senhor precisa se exercitar todos os dias", ouço a longínqua voz do meu cardiologista, a um oceano de distância. Pois vamos lá, estalar as juntas nesta tarde cinza. De passo em passo, logo me vejo diante do Coliseu, o cartão-postal mais movimentado de Roma. Tiro o chapéu diante da parte desmoronada, eco de um antigo terremoto, e declamo em voz alta: "Aqueles que vão morrer o saúdam!". Mas tanto os turistas quanto os romanos ao redor não dão a mínima para o tradicional cumprimento proferido pelos gladiadores aos césares na arena.

Então, sigo em frente. Porque não é para o meio do enxame de japoneses fotografantes que eu vou. Deixo o Coliseu para os caçadores de obviedades. E imagino que tu já saibas para onde estou indo, não é?

Após mais meia hora arrastando os pés, lá está: Basilica Santa Maria in Cosmedin. Mas, para nossa decepção, as coisas estão diferentes de quando a visitamos tanto tempo atrás. Vendo a longa fila diante da entrada, percebo que este não é mais um segredo romano. E pensar que estivemos sozinhos aqui, em total privacidade... a verdade é que não existem mais tesouros. Tudo está à mercê dos celulares, esses olhos que procuram e apontam, gravam e filmam. Pequenas feras que nunca se saciam, aprisionando momentos em fotos que jamais serão impressas e filmagens que nunca serão assistidas.

É, tens razão... Não é com esse espírito que vou conseguir fazer a mágica funcionar mais uma vez, como na madrugada passada. Então, ajeito os óculos com o indicador e procuro a fila especial para a terceira idade. Não há. Só resta me posicionar, paciente, ao final da longa linha de pessoas. Vejo o lado positivo: não há brasileiros ao redor. Pelo menos, não daqueles que gritam, tiram fotos com bandeira do seu time de futebol cobrindo justamente a paisagem que vieram visitar ou fazem poses obscenas diante da mítica Bocca della Verità.

Pouco a pouco o alarido dos visitantes parece se abafar à medida em que me aproximo da mais curiosa das atrações romanas. Após longa espera, eis que chega minha vez e me posiciono bem diante da exótica obra. Mas nada de tu apareceres, como no sonho... mesmo assim, fecho os olhos. E tento, do fundo do coração, recordar do dia em que estivemos aqui.

— Roberto, essa é a Boca da Verdade. Uma grande pedra de mármore redonda, bem junto à entrada da igreja. Nela, vemos um rosto humano entalhado. Um homem barbudo, com a boca aberta.

— Sim, estou vendo. Estamos na frente do troço, isso tudo pude perceber sozinho... espero que tu não tenhas pago caro por esse almanaque, meu amor.

— Deixa eu continuar! Bom, não se sabe ao certo qual a origem dessa escultura. Pode ter sido uma antiga fonte da época do Império Romano ou até uma enorme tampa de bueiro. A única certeza é que, segundo a tradição, todo visitante é desafiado a colocar a mão dentro desse buraco aqui, bem na boca do grande rosto.

— Que higiênico.

Não vejo o teu rosto me contando essas coisas, só lembro da voz. Acho que tu usavas um vestido branco... talvez um chapéu. Não sei, a memória segue picotada. Ainda de olhos fechados, relembro vultos e sons que remontam aos melhores dias de minha vida.

— Na Idade Média, as pessoas acreditavam que a boca comeria a mão de quem não dissesse a verdade. Maridos obrigavam esposas a colocar a mão dentro do buraco e faziam perguntas sobre adultério. Se mentisse, nhac!

— Vamos testar, Alice. Coloca a mão aí.

— Recém casamos e já desconfias de mim?

— Se não confiasse em ti, não faria o teste. Essa aliança que tu tens no dedo custou uma fortuna, não arriscaria que um gaiato de pedra a comesse.

— Não seja por isso: estamos os dois usando aliança. Onde está o cavalheirismo? Coloca a tua mão primeiro... amore mio.

Sorrio. Com um esforço de memória, lembro daquele sapato vermelho que machucou teus pés ao longo de toda a viagem. "Mas é lindo", tu dizias, trocando o curativo do calcanhar no quarto do hotel todas as noites. É mais um pedaço de ti que encontro em meio ao murmúrio distante da realidade ao redor. Diante da Boca da Verdade, ainda de olhos fechados, também recordo tua divertida tensão, enquanto observava minha mão avançar lentamente em direção à boca do assustador rosto de mármore.

Então, dou uma gargalhada. Lembrando do que aconteceu quando, enfim, enfiei a mão no buraco.

— Aaaaaaaaaaaaaaaaahhhhhhhh!

— Roberto!

Após o meu grito, tu berraste meu nome, aterrorizada. E enquanto saltitavas e chacoalhavas as mãos, desesperada, tirei o braço de dentro da boca e minha mão havia desaparecido. Estava encolhida dentro da manga do paletó, exatamente como Gregory Peck fez para pregar uma peça em Audrey Hepburn, aqui neste mesmo lugar, em uma cena do filme *A princesa e o plebeu*. Quando mostrei novamente a mão intacta, tu me bateste com a bolsa, rindo comigo. E rimos tanto, mas tanto, que umas boas lágrimas rolaram por nossas faces. Bem como acontece agora, quarenta e um anos depois.

Nesta primeira manhã de sol desde a chegada à Itália, o terceiro dia de aula corre sem sobressaltos. Mesmo com tão pouco tempo de convívio, já pude perceber o que cada colega tem de mais irritante. Os brasileiros só conversam, dormem ou trocam reminiscências da noite anterior, recheadas de duvidosas histórias com mulheres. A mim, cabe o papel de ouvinte involuntário, já que tagarelam em português. Laszlo exercita a sua bundamolice adiantando o final das frases da professora e tentando responder todas as questões, se possível provocando os colegas com discursos depreciando seus respectivos países. Já Thelma parece constantemente perdida em devaneios durante a aula de gramática e é só começar a classe de conversação que ela, em um salto, se posiciona bem ao meu lado, com seu sorriso de louca. Quanto a Kaori e seu curtíssimo vocabulário, esta apenas ri de tudo, apesar do olhar sempre aflito, a nulidade em pessoa.

Assim, sinto enorme alívio quando, à uma da tarde, soa a campainha de final da aula, liberando os alunos. É quando me ponho a arrumar cadernos, livros e canetas com lentidão deliberada, devagar a ponto de deixar que todos vão embora e me deixem para trás. Tudo para evitar despedidas e interações finais pelos corredores. Uma luta inglória, pois a americana dos cabelos vermelhos e óculos de gato, de sorriso paciente, mais uma vez insiste em ter minha companhia nos lances de escada que nos levarão à porta da escola.

— Tutto bene, Roberto?
— Sì, Thelma... sono un po' lento.
— Lento?
— Slow.
— Oh, yes, slow. Posso aspettare!

Ok, Thelma, você venceu. Termino de guardar minhas coisas e, sem ter para onde fugir, caminho ao lado dela até a rua, descendo as escadas com nossos braços e cotovelos desconfortavelmente próximos. O sol ameno deste início de tarde parece pedir um passeio, mas tudo o que quero é o meu quarto. Ainda mais depois da segunda madrugada seguida sonhando contigo, meu amor. Diante da fachada da escola, com os colegas todos já dispersados, minha acompanhante de óculos felinos me encara. E pressinto, como uma presa acuada, que ela vai me convidar para almoçar.

— Roberto, vuoi...
— Arrivederci, Thelma!

Giro o corpo e caminho rápido rumo ao prédio das Felice, de olhos arregalados e segurando o chapéu na cabeça. São menos de cem passos para chegar ao meu refúgio e os faço na torcida para que ela não me siga. Por sorte, ao longo do tenso percurso, não ouço nenhuma resposta ou protesto de sua parte. De qualquer forma, mesmo que ela dissesse algo, sempre haveria a opção de seguir em frente sem olhar para trás. No dia seguinte, me desculparia. Não seria a primeira vez que usaria a tática do velho surdo.

Pronto, eis a porta verde do palazzo. Chego ofegante e preciso de um instante para me recompor, normalizando os batimentos cardíacos. Com a mão na maçaneta, já sinto o alívio que será ficar sozinho no quarto, apesar do dia ensolarado. Nunca compartilhei desse desespero que as pessoas têm de se jogar às ruas só porque faz sol, como se isso fosse uma lei irrevogável e... hm. Observo a parede no espaço ao lado esquerdo da porta. Ontem, não havia essa pichação:

TI AMO SERENA

Ainda retomando a respiração normal, fico observando o romântico ato de vandalismo, pintado com spray vermelho. E lembro de ter lido ou ouvido em algum lugar uma das mais belas curiosidades sobre Roma. Uma estatística, de origem duvidosa, que diz que esta é a cidade com maior número de declarações de amor escritas ou talhadas em paredes, árvores, postes e afins. Por todos os lados e desde sempre, alguém ama alguém por estas ruas, a ponto de fazer propaganda a respeito. Como eu, em 1976, sentado ao teu lado naquele banco nos jardins da Villa Borghese, essa mistura de museu com jardim que é uma das joias de Roma. Lembra? Pena que tu não deixaste eu usar meu canivete para imortalizar um ROBERTO AMA ALICE naquele assento onde assistíamos ao pôr do sol.

— Não faça isso!
— Calma, Alice... ninguém vai ver.
— Seria bom mesmo. Porque se visse, ia apenas achar que Roberto gosta muito de anchovas. Alice é anchova em italiano, amore mio.

Diante do palazzo, dou uma gargalhada. Por tua causa, ainda vão me internar por estar sempre falando, rindo ou chorando sozinho pelas ruas de Roma. Que triste seria vir para cá desfrutar os últimos anos de vida e acabar em um asilo ou manicômio... melhor entrar logo no prédio. Ainda a sorrir, uso a chave para abrir a porta e, por mórbido reflexo, dou uma espiada na direção de onde vim. Lá está Thelma Adams, ainda parada diante da escola, me olhando de onde a deixei. Quando percebe que a observo, ela acena, sem sorrir. E me dá as costas, caminhando devagar na direção oposta.

*A*poiado na janela aberta, desfruto do inesperado frescor desta noite de lua cheia. Como quem propõe um brinde, ergo meu cálice em direção ao céu estrelado. E com um leve movimento de pulso, faço o líquido escuro girar, exatamente como fariam todos os meus amigos metidos a entendidos que deixei no Brasil. Quanto mais alto o cargo na empresa, mais caros os vinhos, os louvores aos rótulos. E mais chato o bebedor. Com o nariz enfiado na taça, tento sentir o perfume da minha bebida. Mas o aroma deste suco de uva integral não me diz nada.

— Ciao, Bello!

Olho para baixo, na direção da voz vinda da rua. Vejo Serena sorrir, sentada em uma motocicleta Vespa, toda preta. Aceno para ela, que já não me vê mais, pois um rapaz de jaqueta vermelha, recém-chegado à cena, lhe tasca um beijo de cinema. Ajeito os óculos com a ponta do indicador e confirmo: não é o rapaz que parecia um palmito. A nova conquista da filha de minha senhoria sobe na garupa da moto e ela lhe passa um capacete cor-de-rosa. Uma vez paramentado, o ragazzo se agarra com firmeza à cintura de Serena, que veste um macacão de couro, todo fechado. Ela pisa duas vezes no pedal de ignição da lambreta e os dois partem Roma afora, com o som do motor ecoando na rua estreita. Fico na janela até o barulho se tornar inaudível. Então, balanço a cabeça em desaprovação. Obviamente, Serena dirige sem capacete, com seus cabelos castanhos fazendo desenhos ao vento.

Antes que pegue uma pneumonia, fecho a janela. Hora da última bateria de remédios do dia. Enfio as pílulas e drágeas goela abaixo e bebo todo o conteúdo de minha taça de um gole só. Enquanto sinto o suco de uva descer pela garganta, penso nas injustiças da vida. Eu, que nunca fumei, sempre bebi moderadamente, tratei de fazer todos os tipos de exames, trabalhei com zelo e vivi com a parcimônia desejável a um cidadão de bem, hoje sou refém de nomes como Losartana, Hidroclorotiazida, Metformina e Sinvastatina. Enquanto isso, muitos companheiros do respeitável e solene mundo das seguradoras, que se esbaldaram a vida inteira com charutos, uísques, churrascos e companhias de aluguel, esbanjam saúde.

O lado bom é que não preciso mais conviver com essas pessoas. Chega de inventar desculpas para fugir de congressos, palestras e jantares do mercado. Cenários de infalíveis bebedeiras, prelúdios de ressacas... Merda, um dos remédios entalou na garganta. Viro mais um copo de suco e sento no colchão. O mau humor só pode ser culpa da falta de sono. Apenas um período de adaptação ao novo fuso horário. Ou será ansiedade? Talvez a expectativa de sonhar contigo mais uma vez, por que não? Seriam três madrugadas seguidas vendo o teu rosto, no estranho show... faço o sinal da cruz. O Senhor bem que poderia me conceder essa graça mais uma vez.

Tento dar utilidade a esta insônia e lavo a louça. Então, aproveito para arrumar o quarto, varrer o chão. Faço um chá. Tento ler um livro, mas logo desconcentro. Tento ler outro, mas nenhum enredo me prende. Quando o ex-papa na parede aponta uma e meia da manhã, desisto. Apago as luzes, deito na cama e fecho os olhos. Rolo de um lado para o outro, troco os travesseiros de lugar, mas tudo parece servir para me deixar ainda mais desperto. Então, me dou conta: não custa tentar. E, controle remoto em riste, ligo a televisão. Cheio de esperança, passeio entre os canais. Passo pela reprise de uma partida da Lazio, por um filme americano mal dublado, por propagandas com locutores excessivamente animados e por grotescos programas de telessexo, nos quais espectadores interagem ao vivo com quarentonas furiosamente maquiadas e com rochedos de silicone no lugar das tetas.

Até que, por fim, deixo o controle cair no chão e tudo ao redor da tela parece se apagar. Porque acontece de novo. O sonho. O mesmo das últimas duas noites. De boca aberta, ajeito os óculos sem tirar os olhos da televisão e estico o pescoço para a frente, ainda incrédulo, apesar do sonho ser sempre igual. E fico sem piscar ou respirar, absorvido pela luz azulada que emana da tevê. Penso em beliscar a mim mesmo. E me sinto um idiota quando, sentindo uma pontada no braço, percebo que realmente o faço.

— Ciao, ragazzi!

Esse cabelo... esse cabelo sem igual. Castanho-escuro, ondulado, que ganha vida própria à medida em que se aproxima dos ombros, balançando e acariciando tudo o que toca. Esses olhos grandes, cor de café macchiato. Esse nariz de traços arredondados, esculpido em mármore claro. Essa boca que convida a sorrir junto e finge não perceber que o observador quer beijá-la. Tu não enganas ninguém, Alice, quando ris assim... mas, afinal, meu amor: o que tu estás fazendo, de novo, dentro da televisão?

— Allora... cantiamo?

"Então... cantamos?". Como uma verdadeira italiana, tu convocas toda uma plateia de adolescentes a cantar contigo. Não há nenhum constrangimento no teu modo de conduzir o público, o palco é todo teu. Mais uma vez, o sonho parece um programa de auditório, com fundo azul infinito, como um céu sem nuvens. Um letreiro na parte inferior da tela diz: AMBRA ANGIOLINI — T'APPARTENGO. Analiso teu figurino: saia preta curtíssima, camisa branca de mangas dobradas e balançante gravata vermelha. Dois dançarinos, com roupa semelhante, te acompanham em um número deliciosamente cafona. Tu és apresentadora e atração principal do show. E *T'appartengo* é a tua música. Ao que parece, todos sabem a letra, da qual não entendo uma única palavra. O público bate palmas, e bato junto. Eles cantam contigo e eu apenas mexo os lábios, embasbacado por te ver assim, mais viva do que antes de morrer. Com a mesma aparência que tinhas quarenta e quatro anos atrás, quando te conheci naquele curso de italiano no Brasil. Sim... tu eras bem assim. Esse é o teu rosto! Eu me lembro, sim, eu me lembro. Porque tu estás diante de mim.

Como a plateia, embarco nessa tua farsa irresistível. Teu nome não é mais Alice Mandelli. É Ambra Angiolini, e eu aceito. Os espectadores ao redor do palco gritam e esticam os braços tentando tocar em ti enquanto tu rodopias e danças como uma criança, feliz e desengonçada, cantando fora de sincronia com o playback. Am-bra. É esta a palavra que repito baixinho, sozinho no meu quarto em Roma, já nem sentindo mais o braço que continuo a beliscar.

Abro os olhos e seguro um bocejo. Discretamente, confiro o relógio de pulso... ao que parece, não dormi nem cinco minutos. E isso me deixa aliviado. Escondendo meus olhos atrás de óculos escuros, acaricio minha própria nuca, tentando aliviar o torcicolo adquirido após uma noite inteira sentado na cama, escorado nos travesseiros. Acordei graças ao som da televisão ainda ligada, mais uma vez atrasado para vir à aula. A diferença para as noites anteriores é que, dessa vez, já não tenho certeza se a tua aparição foi apenas um sonho.

— Are you ok?

Pousando a mão em meu braço, Thelma Adams me observa. Preocupada com minha irresistível sonolência, ela recorre à língua mãe para puxar assunto, sussurrando em meio a um exercício proposto pela senhora Moretti. Temendo que a professora chame nossa atenção, também sussurro.

— Tutto bene, Thelma... non ti preoccupare.

— Long night, Marcello?

Agora deu para isso, me chamar de Marcello, com uma malícia pouco condizente com uma mulher de sua idade. Nego com a cabeça, respondendo a pergunta e encerrando silenciosamente o assunto. Que insensatez supor que alguém como eu se dê a aventuras noturnas. Dois velhos ridículos no meio de uma turma de jovens, é isso que somos.

— Ragaaaazzi! Dieci minuti!

Até que enfim, faltam só dez minutos para o recreio. Aí virão quinze minutos de descanso. Depois, duas horas de conversação com o insuportável falatório em duplas. Meu Deus, hoje é apenas o quarto dia de aula e já não aguento mais essa turma de italiano... e ainda há um mês inteiro de curso pela frente. Módulo um, italiano para iniciantes. E depois, os demais módulos. Meses e meses, cada um, uma etapa... e quando estiver me acostumando com esses colegas, eles irão embora e chegarão outros. A grande maioria está aqui apenas a turismo, como se o curso fosse simbólico, mera diversão. Isso que ainda não estamos na alta temporada. Sinto a cabeça pesar e tenho vontade de deitar e dormir. Para que o dia passe rápido e chegue logo a madrugada. Para que eu possa te ver mais uma vez.

— Brasile!

Ah, o jogo... tem mais essa. Quando a aula de gramática está para terminar, a professora sempre propõe uma brincadeira envolvendo palavras. Nos primeiros três dias, ela escreveu o nome de um país no quadro, sempre a nação de origem de um dos alunos. Todas as opções já foram e hoje, justamente no dia em que meus dois conterrâneos faltaram à aula, é a vez do Brasil. O jogo é simples e já está em andamento quando desperto de meus devaneios: signora Moretti escreve BRA-SI-LE no quadro. Nhec-nhec-nhec. E, um por um, vai perguntando aos alunos palavras que remetam ao lugar citado. Sempre em italiano, claro. Um passatempo para aumentar o vocabulário e fazer passar o tempo antes do sinal tocar. Pequeno suplício pré-recreio.

— Kaori! Che parola ti ricorda il Brasile?
— Male.

A professora arregala os olhos e todos se surpreendem. Laszlo, o polonês, dá uma gargalhada. A japonesa ri também, mas parece tão surpresa quanto os demais. Tentando se explicar, ela faz movimentos de onda no ar com uma das mãos e, para alívio geral, logo percebemos que ela não quis dizer que Brasil lhe lembra do mal. Ela simplesmente não consegue dizer "mar" em italiano.

— Ah! Mare! Brava, Kaori. Thelma?
— Carnevale!
— Brava! Laszlo?
— Banana.

Mais uma vez, constrangimento geral. Todos me olham e, em reflexo, me volto para as cadeiras vazias onde Mateus e Vinícius deveriam estar. Sem saber o que fazer, tudo o que consigo apresentar é um sorriso amarelo, sendo que o próximo a falar sou eu. O que tu responderias, Alice? Ou melhor... o que nossa filha diria? Sim, é isso! Quando a professora Moretti pergunta, já sei o que dizer para salvar a honra brasileira.

— Va bene, Laszlo... banana, una bella frutta. Roberto?
— Musica!

A professora parece satisfeita com minha resposta, ampla o suficiente para abranger a rica variedade musical do Brasil. Mas, de novo, Laszlo dá uma gargalhada. Atônito, observo ele fazer uma estranha batucada, rindo como se isso fosse uma grande piada. Enquanto emula movimentos simiescos, ou tenta imitar um aborígene selvagem, percebo que ele olha diretamente para Kaori. Que, como de costume, apenas ri sem fazer a menor ideia do que se passa. É a chance do polonês brilhar, sem a concorrência dos outros brasileiros da turma, na disputa para ver quem vai conquistar a japonesa. Difamando o país de Mateus e Vinícius, ele tenta chamar a atenção dela. Minha existência, claro, é irrelevante.

O sinal toca e o jogo termina. Então, todos levantam e partem rumo aos doces recheados com Nutella, paninos com salames de todo tipo, pizzas repletas de mozzarella e cafés energizantes. Dessa vez, nem a americana me espera antes de ir para o recreio. Em um piscar de olhos, me vejo sozinho na sala. E percebo que o que me causa essa vergonha, essa sensação gelada em meu peito, não é a falta de respeito que acabei de sofrer, nem algum tipo de patriotismo tardio. O que me deixa nessa tristeza, meu amor, é a sensação de que, se estivesse aqui, nossa filha teria se decepcionado, mais uma vez, com a minha apatia.

*B*asta! Dominado por uma dolorosa mistura de sono, tristeza e raiva, aproveito o recreio para sair da escola. Após cruzar pelos alunos que comem, fumam e riem, chego à rua e sou abraçado pelo frio. Como seria bom se nevasse... uma rajada de neve brusca e impiedosa, compacta, que sumisse com tudo como um cobertor branco gigante, caído dos céus. Escondendo ruas, cancelando voos e, sobretudo, obrigando escolas a não abrir. Então eu ficaria em casa, dormindo a manhã inteira. E sonhando com mais uma madrugada contigo na tevê.

Fecho meu sobretudo, aperto o chapéu na cabeça e, decidido, procuro uma banca de revistas na Avenida Cavour. Peço ao jornaleiro por um Corriere della Sera e o folheio depressa, atrapalhado pelo vento gelado. Aqui está, caderno de variedades. Procuro a programação dos canais de televisão e confiro todos os programas e horários das emissoras. Logo encontro o que procuro, apesar de ainda não saber bem o que é. Nesse momento, minhas juntas se afrouxam, os dedos se abrem um pouco e o jornal vai se desprendendo aos pedaços. Página por página, as folhas voam ao meu redor, como se os estorninhos, ave típica do inverno romano, com seus bandos que fazem desenhos pelo ar, descessem do céu para me cercar. Ali está, no único pedaço de papel que ainda mantenho em mãos, sob os gritos de censura do jornaleiro, furioso com a papelada a se espalhar pela calçada:

Dalle 2 alle 3 • Programma "Non è la Rai" • Intrattenimento, variettà • Presentazione: Ambra Angiolini.

Não foram sonhos... das duas às três da madrugada, tu estavas lá. Dançando, cantando e rindo tal qual da última vez em que te vi fazer essas coisas e já nem conseguia lembrar mais. Na verdade, tu me pareceste ainda mais vivaz do que quando nos conhecemos. Mais nova, uma meninona, quase adolescente. Só que, em vez de Alice, agora tu te chamas Ambra. Uma italiana que tenho de dividir com uma enlouquecida plateia e com espectadores que telefonam para participar de jogos que tu comandas. Em um programa de tevê excessivamente animado e infantil para o horário.

Pago o jornaleiro com dez euros e digo para que fique com o troco. Rindo do jornal mais caro da minha vida, começo a caminhar de volta. Rumo ao quarto, não à aula de conversação. Para deitar e sonhar. Quem sabe dormir o dia inteiro e acordar só na hora de te ver? Ainda falta muito para as duas da manhã, mas, pela primeira vez desde que levantei, me sinto feliz. E saio pela avenida a assoviar, o mais alto que o fôlego permite, me sobrepondo aos carros, aos romanos e aos turistas. Sou como essa garotada de fones de ouvido, que vejo por todos os lados: só ouço a minha própria música. E assim como eles só olham para seus celulares, eu só vejo a ti. Consigo ver o teu rosto perfeitamente, Alice. Graças a essa Ambra, incrivelmente parecida contigo.

Chego ao palazzo das Felice, entro ligeiro e subo as escadas. Meu assovio ecoa pelos pavimentos do edifício gelado. No terceiro andar, sorrio para a porta número 34, onde temos um encontro marcado daqui a quase doze horas. E, enquanto abro a porta, me pergunto como fazer para que o dia passe mais rá...

— Mas o que...

Me deparo com Mateus e Vinícius dormindo em minha cama. Pelados. Deitados nas beiradas do colchão, com um espaço vazio entre eles. Assim que adentro o recinto, meus colegas de italiano acordam, como se despertassem de um feitiço. Eles arregalam os olhos, tão surpresos quanto eu, e têm o mesmo reflexo: cobrem suas genitálias com os travesseiros que uso para apoiar minha cabeça todas as noites. Sinto o sangue subir quando, vindo do banheiro, ouço o barulho da descarga. Todos olhamos para a porta do pequeno lavabo e, antes que ela se abra, já sei quem vai surgir dali.

— Che significa questo, Serena?!

— Acho melhor falarmos em português, Bello. É a língua da maioria neste quarto.

Vestindo apenas calcinha e sutiã brancos, Serena leva as mãos à cintura. E olha para os dois brasileiros, indicando a porta com um rápido movimento de cabeça. Eles levantam aos saltos, juntam as roupas do chão e se aproximam de mim e da saída, balbuciando:

— Foi mal, tio, nossa, que vacilo, Robertão, a gente não sabia...

— Saiam.

Eles me obedecem e bato a porta. Assim que somem de minha vista, me volto para Serena. Cruzo os braços e encaro a filha de minha senhoria com fúria. Ela não sorri nem debocha. Mas também não se intimida. Apenas me olha de volta, compreensiva.

— Terei uma conversa com a tua mãe! Isso é inadmissível!

— Acho melhor você sentar... respire... você está respirando errado, Bello.

Ela empurra a única cadeira do quarto até mim. Mal dormido, cansado da aula e tendo apenas remédios no estômago, desabo. Sento paquidermicamente e Serena esboça um sorriso, seminua e em pé, próxima à janela.

— Não tens vergonha, menina?

— E você não deveria estar na aula de conversação?

— Quer dizer que quando estou na aula, tu vens com alguém pra cá?

— Nem sempre. Na maioria das vezes, venho sozinha.

— Que absurdo! Vou hoje mesmo pedir meu dinheiro de volta e sair daqui. Tua mãe vai ouvir umas boas verda...

— Bello... me desculpe. Prometo que não trago mais ninguém para cá.

— Agora não adianta! Já é a segunda vez que te flagro em situação... inconveniente.

Ela ri. E, enquanto faz um coque nos cabelos, responde:

— Não é bem assim... dessa vez, você chegou depois da situação inconveniente. Inclusive, estávamos de saída e sempre deixo tudo do jeito que estava. Ontem, por exemplo, você nem percebeu que estive aqui pela manhã.

— O quê? Mas por que tu não vais pra outro lugar? Tu e tua mãe têm chaves de todas as portas, podem usar todos os apartamentos, têm um andar inteiro de depósito à disposição... por que tu vens justo aqui?!

Coque feito, ela senta na cama. Séria, Serena observa o edredom desarrumado, parecendo refletir sobre a pergunta. Até que, enfim, se volta de novo para mim. Mas é difícil manter contato visual com uma menina trajando apenas lingerie. Por isso, desvio o olhar, enquanto ela responde:

— Porque essa é a melhor cama de todo o prédio. Você não acha?

— Não conheci as outras.
— Confie em mim.
— Só por isso? Não é possível.
Silêncio. Mas apenas por um brevíssimo instante. Como se ela tivesse tentado encontrar uma explicação mais razoável, mas logo desistisse, dizendo:
— E por que não? Diferente da ficção, a vida não precisa ser verossímil.

*P*eço que Serena se vista e ela obedece. Mas sem constrangida afobação, nem deliberada lentidão. Apenas se veste, tal qual solicitado. Ao longo do striptease às avessas, sigo sentado, olhando para todos os lugares, menos para ela. Quando senhorita Felice enfim se mostra apresentável, de calça jeans e blusão de moletom, abro a boca para pedir que vá embora e me deixe em paz. Mas a filha de minha senhoria é mais rápida:

— E você, Bello?

— E eu o quê?

— O que faz aqui a essa hora?

— O que estou fazendo em meu quarto, tu queres dizer?

— Segundo a escritura do imóvel, o quarto é mais meu do que seu.

Serena abre um sorriso de suave deboche, como quem convida a brincar. Percebo seus lábios novamente marcados pelo vinho, em tons de violeta. E isso me leva a perguntar:

— Onde está a garrafa?

Em reflexo, ela cobre a boca com a mão, mas logo percebe a inutilidade do reflexo. E, ao descobrir os lábios, seu sorriso se apresenta ainda mais aberto e franco. Então, me dá as costas, se ajoelha na cama e busca algo no chão, do outro lado do móvel, onde não consigo ver. E logo ressurge portando uma garrafa de vidro verde-escuro, sem rótulo nem qualquer tipo de inscrição.

— Aceita, Bello?
— Há anos que não bebo álcool.
— Claro... um Bevilacqua.

Fico sem resposta enquanto ela bebe um demorado gole do vinho, direto do gargalo.

— Tem certeza que não quer, Bello? É um Negroamaro, da Puglia... não é todo dia que tenho desse.
— Não entendo de vinhos.
— Não é para entender, é para sentir. In vino veritas, já diziam os antigos romanos. Não era você que queria se tornar um de nós?
— Não devo beber. Recomendações médicas. Além disso, não confio em garrafas sem rótulo. Como vou saber o que tem aí?
— Posso garantir que a melhor forma de saber o que tem em uma garrafa é beber o seu conteúdo.

Serena vira mais um gole, de olhos fechados. Uma gota escorre por sua bochecha, escapando pelo lado dos lábios. Ela prontamente busca a gota com um dedo e o lambe. Nenhum mililitro se perde.

— Que pena que está perdendo isso, Bello... esse é um dos meus favoritos. Negro e amaro. Mas não pense que o amaro vem de amargo, esse é um erro comum. Vem de merum, "escuro" em grego antigo. O vinho duplamente escuro. Maduro e forte... profundo e denso... ah, belíssimo...

Serena discorre olhando somente para a garrafa, como se estivesse se declarando para ela. Seu prazer é tanto que me sinto impelido a participar do assunto:

— Tu falas tão bem que quase acredito que um vinho possa ser tudo isso.
— Um elogio? Uau. Pelo visto, você não é tão ranzinza quanto tenta parecer.

— Costumo ser gentil com quem não usa minha cama como motel. Vocês ao menos usaram camisinha?

— Sim. Inclusive, isso me lembra que tenho que retirar o lixo do banheiro. Ainda não reparou que as lixeiras do seu banheiro e da cozinha estão sempre vazias e limpas quando você volta da aula?

— Na verdade, não.

— De nada.

Faço menção de responder, mas ela se antecipa outra vez. Parece sentir o quanto estou cansado e contrariado. Então, se aproxima, colocando a garrafa em minhas mãos. Serena sorri com os lábios pintados de vinho e seus olhos parecem dizer "vá em frente, vai lhe fazer bem". Exausto depois de mais uma madrugada mal-dormida, acato a sugestão. E viro a garrafa, deixando um bom gole de vinho adentrar o meu corpo. Após tantos anos de abstinência, é uma experiência intensa. Relaxo por inteiro, aquecido por um imediato torpor. Ao contrário do que a prudência pediria, bebo um segundo gole. E sinto a bebida abrir velhas portas, percorrer esquecidos corredores, tirando o pó e escancarando janelas, sacudindo os panos velhos de meu organismo. Fecho os olhos enquanto ouço Serena dizer:

— A garrafa não tem rótulo porque comprei em um lugar que só vende vinhos de pequenos produtores. A bebida é engarrafada na hora, um processo todo mecanizado. É muito interessante, se quiser posso lhe levar para conhecer. É um lugar cheio de barris, com diversos vinhos vindos de todas as partes da Itália e cada cliente tem a sua própria garrafa, que uma máquina lava e esteriliza no refil. Essa é a minha e você pode ter uma também... basta escolher que vinho quer e eles enchem, depois fecham a vácuo. Como já disse, se quiser, posso lhe levar. É aqui perto e...

— Eu gostaria de ficar sozinho agora, se não te importas. Abro os olhos e ela responde com um leve menear de cabeça, partindo em direção à porta. Mas antes que Serena saia, lembro da garrafa ainda em minhas mãos. E digo, apressado:

— Ei! Não vais levar o teu vinho?

— Você parece precisar mais do que eu. Qualquer hora, busco a garrafa. Algo me diz que vamos nos cruzar muitas vezes ainda. Afinal, você é o único locatário no momento.

— Não há mais ninguém nos outros quartos todos?

— Não. Temporada fraquíssima. Ao que parece, seremos só eu, você e mamma por aqui nesse inverno.

A porta se fecha. E como se estivesse à espreita, o silêncio ataca. Apesar do absurdo que acabei de testemunhar, mais uma vez ficou tudo por isso mesmo. Penso em levantar e interfonar para Sonia Felice. Relatar o comportamento inadequado de sua filha, quem sabe pedir as contas, procurar outro quarto em Roma, talvez até outro curso de italiano... então, vejo que ainda há uma boa dose de Negroamaro dentro da garrafa em minhas mãos.

𝒪s remédios se acotovelam em minha garganta. Mesmo depois de tanto tempo convivendo com pílulas, é assim mesmo: às vezes, elas não descem de primeira. Diante da janela, engulo mais água e observo a branquidão lá fora. Contemplo a primeira neve da minha vida e imagino que Deus é um confeiteiro gigante, peneirando açúcar sobre a cidade. De início, tenho ganas de sair à rua, conferir que gosto tem. Mas logo reprimo a ideia, temendo pegar um resfriado ou perder o senso de ridículo.

Olho para o ex-papa na parede: dez e meia da manhã. Estou oficialmente matando aula pelo segundo dia consecutivo, após mais uma noite contigo. Quem diria? Tu na tevê e eu bancando o aluno fujão. Mas será que tem aula com esse tempo? Indiferente à resposta, jogo fora as flores murchas dispostas na panela e resolvo fazer um chá. Acendo o fogão com desenvoltura, posiciono a chaleira sobre o círculo quente e nada pode ser melhor. Até que batem à porta.

— Ciao, Bello. Não vai à aula hoje?

— Por quê? Estou atrapalhando os teus planos?

Serena sorri e vai entrando, com o desembaraço habitual. De imediato, ela assume o seu posto, sentada à cama. Alheia à nevasca e protegida pela eficiente calefação, senhorita Felice desfila pelo edifício vestindo apenas pijama: calça de flanela e camiseta larga, em tons de amarelo que um dia foram brancos. Seu farto cabelo castanho está preso em uma única e vigorosa trança, do tipo que seria capaz de rebocar um navio.

— O que foi, Bello? Por que continua aí, segurando a porta aberta? Vai deixar escapar o ar quente.

— Estou esperando o teu companheiro de hoje entrar.

Ela dá uma gargalhada e analiso seus lábios com atenção. Ainda não bebeu vinho.

— Dessa vez, não espero ninguém. E você?

— Nunca espero ninguém. A não ser Caronte.

— Quem?

— O barqueiro.

— ...

— Que leva as almas dos mortos... *A divina comédia*, meu Deus!

— Oh, è vero... bem, vou te contar um segredo, Bello: a verdade é que esse é um livro que todo mundo gosta de citar, mas que ninguém realmente leu.

— Eu li.

— Eu também. Estou brincando com você.

Franzo o cenho e não sei se ela está brincando ao dizer que está brincando. Mesmo assim, fecho a porta e sirvo dois chás. Serena agradece a bebida e se espreguiça, sentada junto à cabeceira. Volto à janela com minha xícara e bebo o líquido insosso, fantasiando que é um café espresso, enquanto vejo a rua coberta por um manto branco. Só então relaxo. Serena, por sua vez, coloca fones de ouvido e começa a fuçar em seu celular, como se estivesse sozinha no quarto. Ficamos assim por longos, silenciosos e aconchegantes minutos.

— Passaremos a manhã assim?

Ela não ouve minha pergunta. Apenas mexe os lábios, provavelmente sem se dar conta, enquanto lê na pequena tela algo que parece ser muito mais interessante do que eu.

— PASSAREMOS A MANHÃ ASSIM?!

Agora sim, ela me olha, com leve surpresa. Tira os fones e parece demorar um pouco a entender a questão. Então, mostrando a tela do celular, diz:

— Lembrei de outro motivo por que gosto tanto desse quarto: o wi-fi. O modem está instalado aqui.

— Não entendi patavina.

— Patavina?

— Merda nenhuma.

— A internet aqui é bem mais rápida, Bello. Então, prefiro conectar aqui, se não se importa.

— E se eu me importar?

— Então, se importa?

Me volto à janela mais uma vez. Fico pensando no quanto a neve é uma lindeza. E me dou conta de que tu partiste sem nunca a teres visto. Bebo mais um gole de chá e suspiro, imaginando o teu rosto refletido no vidro, graças a Ambra. Momentos assim são tudo o que preciso. Não quero mais ir à aula nem rever a maluca da Thelma Adams, os dois brasileiros idiotas, a professora que nos trata como imbecis, Laszlo e sua arrogância, Kaori e sua nulidade. Só quero ficar aqui, fechado neste minúsculo quarto com banheiro, pensando em ti e esperando tuas aparições na madrugada.

— Não, Serena. Não me importo.

Pelo reflexo da janela, vejo a filha de minha senhoria, de fones enfiados nos ouvidos, a sorrir para o seu celular. Nem me ouviu.

Alô, pai? Só queria saber se tá tudo bem. Pelo visto ainda não se acostumou a andar com o celular. O senhor não muda, né? Bom, tento ligar de novo outra hora. Não tenho como deixar número pra contato, o senhor sabe. Hoje estou em Buenos Aires. Embarco pra Lima amanhã e... bom... um beijo, então.

Aperto o botão e ouço mais uma vez, apesar de já ter decorado essa gravação há muito tempo. Ao final de mais uma escuta, desligo o pesado aparelho celular e tiro o carregador da tomada. Tu vês, meu amor... os primeiros telefones móveis eram enormes e robustos, depois diminuíram e agora voltaram a crescer, só que ficando cada vez mais frágeis. Me parece um contrassenso na evolução. Pelas ruas, a gente vê as pessoas curvadas, olhos vidrados em telas que levam nas mãos, passando os dedos nelas como ratos que cavam para fugir de alguma coisa. E eu aqui, com esse velho Nokia azul-escuro, de tela verde e preta, aparentemente inquebrável. Com os tais toques polifônicos que jamais descobri o que são. Quando ganhei o aparelho da firma, eu já era velho. Agora, somos ambos obsoletos. Sorrio para o telefone, inapto a realizar ou receber ligações por não ter chip, que carrego apenas para, de vez em quando, escutar a velha gravação. Esse último registro de nossa filha já tem o quê, mais de dez anos? Acho que sim. Melhor não calcular. Nem pensar nisso.

Uma e cinquenta e seis da manhã. Às vezes tenho a impressão de que o ex-sumo pontífice Bento XVI, sempre carrancudo atrás dos ponteiros do relógio de parede, faz o tempo passar mais devagar. Se arrastando como um Papa, todo paramentado, o tal do tempo. Dentre todas as criações divinas, o tempo é a mais mal feita: nunca passa na velocidade que a gente quer. Escreverei uma reclamação ao atual Papa. Aliás, ainda devo uma visita ao Vaticano. O que será que Clara teria a dizer deste papa argentino? Imagino ela achando muita graça dessa escolha, rindo de mim. Sorrio para a ideia. Afinal, não há nada mais lindo que a risada de uma filha, mesmo que a piada seja o próprio pai.

Uma e cinquenta e sete. Sentado na cama, coberto até a barriga e com as costas apoiadas nos travesseiros, te aguardo. Desde que Serena saiu e me deixou sozinho, fui à rua uma única vez, para comprar o exótico lanche que trago em uma bandeja no colo: um pequeno melão, cem gramas de presunto parma fatiado e uma garrafa de prosecco. Fiz o melhor que pude para tentar reproduzir aquele piquenique que fizemos ao entardecer, aqui mesmo em Roma, quarenta e um verões atrás. Azar da recomendação de não comer de madrugada. Abro o pacote de presunto e seu perfume me leva ao passado.

— Nunca tinha visto melão assim, Alice. Verde por fora e essa cor por dentro... nem sei que cor é essa.

— Te apresento o melão italiano, amore. Lindo, não? Carnudo, cheio de sabor... difícil mesmo dizer que cor é essa. Meio laranja, meio rosa... não sei também.

— E é assim mesmo que se come?

— O almanaque é categórico: melão e prosecco, as melhores companhias para o presunto parma.

Sentados em um dos bancos de concreto do Parco Savello, também conhecido como Jardim das Laranjeiras, brindamos a mais um pôr do sol em nossa lua de mel. Nunca entendi por que uma mulher como tu, com tanto apetite para novas experiências, se casou comigo. Com medo de que um dia te desses conta do equívoco, eu cedia às tuas invenções. Do alto do parque repleto de árvores de laranjeiras, com os telhados de bronze da Cidade Eterna aos nossos pés, enrolamos finíssimas fatias de presunto parma em suculentos nacos de melão. Tinha tudo para dar errado. Mas a salinidade da carne rosada, quase transparente, misturada com o sumo adocicado da fruta, produz na boca um sabor com vida própria. Tão vivo que parece falar, clamando por um gole de espumante. Bebida que, seca e borbulhante, corre ao encontro do melão e do presunto como se fossem irmãos há muito tempo separados.

— Ciao, ragazzi!

A voz vem do aparelho de televisão e sou banhado pela luz azul. Desperto de um sonho e caio em outro, sempre acordado. Sozinho no quarto, sorrio e respondo:

— Ciao, meu amor.

Com o canto dos lábios, tu assopras a franja que insiste em cair sobre o teu rosto. Ambra ou Alice, não importa. A mim, basta ser espectador dessa transmissão vinda direto do céu.

— I miei capelli sono un po' ribelli oggi!

As dançarinas riem ao fundo e balançam a cabeça, discordando da tua afirmação. Não, meu amor, teus cabelos não estão rebeldes, tu estás sempre linda. Entre as bailarinas, procuro alguma que se pareça com nossa Clara. Mas aí já seria pedir demais, não é mesmo? Abro o prosecco e, atento à tevê, nem ouço o estouro da rolha. Bebo o primeiro gole de olhos abertos e não perco nem um segundo do teu programa. Tento entender as coisas que tu dizes, mas é difícil, Ambra fala muito rápido. E vai continuar difícil se eu seguir dormindo tarde assim, faltando as aulas no dia seguinte.

Me pergunto quem são os outros telespectadores que ficam acordados para assistir a um programa tão... infantil. Tu agora começas uma brincadeira com um participante ao telefone. Mas é estranho que, no canto inferior da tela, o número do show apareça quadriculado. Por que isso? Como as pessoas fazem para ligar e participar, se não podem ver o número? Pensando bem, é até bom que seja assim. Era capaz de eu acabar ligando... meu Deus, até a voz de Ambra é parecida com a tua, Alice. Pena que eu não saiba falar italiano a ponto de poder interagir contigo. Digo, com ela. Mais um gole de prosecco. E finjo que é comigo que tu falas no programa. Fico tão enternecido quanto ao ligar o velho celular que só serve para ouvir a voz de nossa filha.

— Pronto?
— Ciao, Ambra.
— Ciao, amico! Come ti chiami?
— Roberto.
— E di dove sei, Roberto?
— Chiamo da Roma. Ma sono brasiliano.

Imagino que sou eu o telespectador na linha, prestes a brincar de batalha naval com a apresentadora, e crio nosso diálogo mentalmente. Um delírio que só posso atribuir ao encontro do líquido espumante com os remédios em algum lugar dentro de mim. Ignoro o verdadeiro participante do jogo, cuja voz me parece muito distante, tão longínqua quanto o sul do Brasil, e finjo que é comigo que Ambra fala. Assim, só me resta rir dos médicos que me proibiram lanches noturnos e bebidas alcoólicas, degustando esta senilidade agridoce. Apenas melão italiano, presunto parma, prosecco e tu.

Abro os olhos e percebo que dormi de óculos. Mesmo assim, demoro para focar a visão. Acho que fico uns dois minutos encarando o papa, tentando desvendar o horário que os ponteiros marcam. Onze e alguma coisa. A televisão está desligada e não lembro de tê-la apagado. Tateando o edredom e o criado-mudo, procuro o controle remoto, mas não encontro. E pelo gosto de plástico que sinto em minha boca, me pergunto se não o engoli.

Com extremo vagar, sento na cama. Minha cabeça pesa e um mal-estar generalizado me obriga a deitar novamente. Sinto que poderia passar o resto da vida assim, na penumbra, sem me mexer. Me pergunto se faz sol lá fora e torço para que não. Tento imaginar a aula de conversação que ocorre neste exato instante e sinto que esta cama enorme e este edredom são o paraíso. Uma nuvem.

Reparo na garrafa de prosecco vazia sobre o criado-mudo e não acredito que, sozinho, fui o responsável por seu esvaziamento. Logo eu, que nunca fui além de uma ou duas taças, e só no ano-novo... Passo as mãos por meus cabelos cinzentos e pelo rosto mole. Parece que a minha cara vai descolar do crânio. Sinto pontadas, como se estivessem batendo em minhas têmporas. Chego a escutar o som... toc toc toc.

— Bello?!

A voz de Serena, vinda do lado de fora, soa dentro de minha cabeça como as trombetas que anunciam o fim dos tempos.

— Não estou!

Indiferente à resposta, ela abre a porta com sua própria chave e entra. Antes que me diga qualquer coisa, sou eu quem falo:

— Sim, Serena! É isso mesmo! Não vou à aula hoje também. Desculpe por atrapalhar os teus planos mais uma vez.

— Mas hoje é sábado.

Fico na dúvida se estou aliviado ou triste por não estar matando aula. Suspiro e isso me causa uma leve dor no peito. Já faz alguns anos que me vem essa dor quando respiro fundo demais... oprimido pela ressaca, me sinto um velhinho desamparado. Aquela palavra, que vai deixando de ser engraçada com o passar dos anos, me vem à mente mais uma vez: caduco.

— O que tu queres, Serena?

— Fiquei preocupada. Você há de convir que, na sua idade, trancado no quarto desde ontem, sem fazer barulho nem abrir a janela até quase meio-dia...

— Queira me desculpar então. Não morri ainda.

— Você pede muitas desculpas, Bello. Coisa de quem tem a consciência pesada. Que tal agradecer a visita, para variar?

Não digo nada. Serena, então, se dirige à janela. Ao passar pela cama, repara na casca do melão e em um resto de presunto no prato sobre o criado-mudo. Quando vê a garrafa vazia, faz um debochado sinal de aprovação com a cabeça. Então, com um movimento brusco, ela abre as venezianas e a luz branca do céu nublado invade o recinto com violência. Na sequência, recolhe os despojos de minha festinha noturna e começa a lavar a louça. Me mantenho imóvel, deitado em silêncio, com as têmporas a latejar. Quando termina, senhorita Felice se volta para mim. Ela veste calça de abrigo cinza, pantufas que simulam os pés de um monstro felpudo e a mesma camiseta que usava na primeira vez em que a vi, com BUONGIORNO PRINCIPESSA escrito em letras pretas. E não consigo deixar de achar que até a sua roupa zomba de mim.

— Va bene, parece estar tudo bem por aqui... vou voltar então. Mamma pode estar precisando de mim.

Ela me dá as costas, caminha até a porta e, quando está quase saindo, resolvo dizer:

— Uma pergunta, Serena... quem era o rapaz no primeiro dia? Não o viste mais? Como conheceste Mateus e Vinícius, meus colegas de aula?

— São três perguntas.

— Deixa pra lá. Pode ir.

— No primeiro dia, você me viu com Filippo, um bom amigo. De vez em quando, fazemos amor. Também bebemos, ouvimos música... o vi ontem mesmo, em um bar de Trastevere. Quanto a Mateo e Vini, os conheci aqui na rua. Sempre acabo conhecendo os alunos da Scuola Romit. Uma vez por mês, fazem uma festa de recepção e outra de despedida aos estudantes que chegam e partem. Costumo comparecer. Inclusive, reparei que você não esteve no encontro de recepção.

— Não fui convidado.

— Todos são convidados. O convite fica no mural da escola, você que não viu.

— Não vim para confraternizar. Assisto a droga da aula e vou embora todos os dias assim que posso.

— Hm... bem, se não gosta, deveria parar de ir ao curso.

— Simples assim?

— Simples assim.

O silêncio indica que o assunto terminou. Mas quando a porta começa a fechar, interrompo sua partida mais uma vez:
— Última pergunta, Serena... tu conheces Ambra?
— Não. Amiga sua?
— Ambra Angiolini.
Ela faz que não com a cabeça. Insisto:
— Da televisão. Apresenta um programa na madrugada.
— Programa de madrugada, é?
— Sim... mas não é nada disso que tu estás pensando!
— Hm. Não conheço.
— Esquece.
— Va bene. Ciao, Bello.
— Tchau, Serena.

Apesar da janela aberta, assim que ela sai parece que o quarto escurece um pouco. Tiro os óculos e massageio as têmporas. Essa ressaca pede um café. Mas como não devo tomar café, vou de chá. Diante do armário-cozinha, faço um inventário mental de minhas pílulas, ajustando a ordem a tomar, todas em atraso. Então, descubro algo que me faz prometer a mim mesmo não beber nunca mais: o controle remoto da televisão está dentro da chaleira.

*T*oc toc toc toc toc toc.

— Serena?

— Hahahahahahahahaha!

— Qual é a graça?

Parado à porta, cabeça ainda latejando, observo Serena se contorcer enquanto bebo meu chá. Não faz nem dez minutos que saiu e já está de volta. Sentada no chão e encostada na parede diante de mim, ela olha para o seu celular enquanto ri às gargalhadas. Percebo que ainda estou de pijama e, apesar do risco de pegar uma friagem, apenas aguardo, enquanto ela balança os pés. Mesmo não sendo eu a usar pantufas de monstro, me sinto ridículo.

— Conhece?

Serena estende o braço e me mostra seu celular. Ajeito os óculos com o indicador e me aproximo da pequena tela. É uma foto tua, meu amor. Ou melhor, da tua sósia italiana. Sorridente, posando diante do cenário azul do seu programa de tevê, vestindo uma camiseta branca escrito THE BEST em letras pretas.

— Sim, é Ambra.

— Você é um pervertido, Bello. Mas tem bom gosto.

— Não sejas palhaça. Tu sabes quem ela é? Não deve ser muito famosa, pelo horário de seu programa.

— Todo mundo conhece Ambra Angiolini! Foi uma das principais apresentadoras de um show de televisão diário, com dançarinas que interagiam com espectadores em brincadeiras por telefone, distribuindo prêmios. O programa se chamava *Non è la Rai*. Ela também era cantora, foi muito famosa...

— Era cantora? Foi famosa? Por que no passado?

— Espere, deixe eu procurar aqui no Google... ela tinha uma música terrível, mas que chegou ao topo das paradas...

— *T'appartengo?*

— Hahahahaha! Isso! Te pertenço! Ela cantava e dançava como se fosse rapper, fazendo cara de séria e gestos com as mãos, mas era uma música romântica... que lembrança mais... como vocês dizem no Brasil...

— Inusitada?

— Brega. Nunca mais tinha ouvido falar nela... demorei para entender porque não é muito do meu tempo, eu era muito pequena e...

— Como assim? Passa na tevê todas as noites.

— É reprise.

— Mas...

— *Cazzo!* Você achava que era ao vivo?

— ...

— *Madonna mia!* Hahahahahahahahaha.

Serena ri até sua barriga doer. Bebo um longo gole do meu chá, escondendo o constrangimento com a caneca. Ainda não havia visto ela rir assim. Aliás, faz tempo que não vejo ninguém rir desse jeito.

— Chega, Serena. Já entendi.

— É muito engraçado, Bello! Você, tarado por uma ninfeta, descobrindo que ela já não é mais uma garotinha...

Sinto minha testa se dobrar em mil linhas e faço menção de fechar a porta, mas ela estica o pé e me impede com sua pantufa.

— Pronto! Parei! Desculpe!

— Tu não entendes... essa menina, essa Ambra... espera.

Vou até o armário e busco minha carteira. Dela, tiro uma fotografia preta e branca, amarelada nos cantos. E entrego a Serena, que agora está em pé junto à porta.

— Quem é?

— Minha falecida esposa.

— Madonna! São iguais!

— Descobri Ambra sem querer, assistindo televisão em uma madrugada de insônia, quando ainda me acostumava ao fuso horário... desde então, não perco um programa.

— Impressionante... quando sua esposa morreu?

A forma crua e natural com a qual a pergunta é feita me choca. Respondo frisando o verbo falecer.

— Alice faleceu aos trinta anos, em 1980.

— Que pena... uma não pode ser a reencarnação da outra. Segundo a internet, Ambra nasceu três anos antes, em abril de 1977.

Desconsidero a ideia estapafúrdia e, após breve cálculo, digo:

— Então, daqui a três meses, ela faz quarenta anos.

— E isso quer dizer que você pode.

— Posso o quê?

— Fazer isso que você faz de madrugada, quando está sozinho na cama, olhando para ela...

Sua insinuação me deixa boquiaberto. Com o dedo em riste, gaguejo e procuro uma resposta digna para tamanho acinte. Mas Serena é mais rápida, dizendo:

— Estou brincando, Bello.

— É bom mesmo!

— Você também poderia fazer isso se Ambra ainda tivesse vinte anos, não teria problema.

Sentado no degrau mais alto da enorme escadaria da igreja Trinità dei Monti, um dos lugares mais populares de Roma, lambo meus dedos. Pouco abaixo de mim, vejo um melancólico casal de turistas, unidos por um triste mastigar. Entre eles, restos de hambúrgueres e refrigerantes compõem o cenário. Pecado... eu, que acabo de degustar um panino alla porchetta, celestial sanduíche de carne de porco marinada em alho, sálvia e alecrim, peço perdão a Deus. Não por mim, que fugi da dieta, mas por quem come McDonald's na Itália. Perdoai-os, Senhor... eles não sabem o que fazem.

O que meus colegas de trabalho pensariam se me vissem agora? Diretores das empresas do mercado, representantes do sindicato e demais notáveis do seguro, ases da parcimônia e cautela, o que diriam diante deste meu desatino calórico? Esses mestres na arte de proteger os bens dos outros com certeza reprovariam minha falta de bom senso. Justamente aquilo que sempre tive de sobra, qualidade primordial à profissão. Da qual tu sempre zombavas, meu amor. Fecho os olhos, sinto o sabor da carne perfumada com sálvia e lembro de tua voz:

— Não há felicidade no seguro, Roberto. Quando o corretor nos procura, a gente fica irritado, porque é hora de renovar o carnê. E quando somos nós que o procuramos, é porque ocorreu algum problema e a seguradora vai ter que arcar com o prejuízo, o que certamente é um incômodo para a empresa. Há sempre um lado infeliz nessa relação.

— E qual a tua sugestão, Alice? Não ter seguro?

— Não. É um mal necessário. Mas há algo triste em sermos tão dependentes das coisas que possuímos, ao ponto de nos adiantarmos para o caso de perdê-las, contratando um serviço que torcemos para não usar. Uma aposta contra nós mesmos... pagamos para alguém nos socorrer caso as coisas deem errado. E esse alguém, por sua vez, torce para que tudo dê certo conosco, de modo a poder embolsar nosso dinheiro sem precisar fazer nada.

— Mas o seguro não é feito para ser feliz! Veja bem, ele foi criado a partir do princípio do mutualismo, onde a boa fortuna de muitos aplaca o infortúnio de poucos. Antigamente, na época das navegações...

— Amore, não fique assim... isso de ter alguém que torce para que nada de mal nos aconteça até que é simpático. Pena que seja pago.

Não sei o porquê dessa lembrança tão irritante. Acho que é a decepção pelas reprises do programa de Ambra não passarem nos fins de semana. De qualquer forma, nunca fui corretor de seguros e tu nunca entendeste isso. Eu era atuário. Penso em todas as vezes em que eu disse isso e ninguém entendia. Lembro da cara de nossa filha, tentando compreender em que seu pai trabalhava, para responder um questionário de escola. Pena... é uma profissão fascinante. Calcular riscos, antever o futuro através de estatísticas e embasar os custos de uma apólice de seguros. Tu sabias que os primeiros atuários foram secretários do senado do Império Romano? Claro que sim, já te contei mil vezes. O seguro é uma arte. E, modéstia à parte, eu era um virtuose. De office boy, cheguei a diretor de uma das maiores empresas do estado, aumentando lucros e diminuindo riscos graças ao malabarismo de minhas tabelas. E nem existia o tal do Excel! A ironia foi que, justamente por causa de regras e normas, algo que sempre prezei, tive que sair de cena. Aposentadoria compulsória aos sessenta e cinco anos, dizia o estatuto da firma. Desde então, restaram apenas o ócio e os frequentes reencontros do mercado, com farta distribuição de diplomas e troféus. Uma forma dos mais novos parabenizarem os velhos por ainda não terem morrido. E de aplaudirmos a nós mesmos.

— Ciao, Bello.

— O que foi, Serena?! Não faz nem uma hora que tu saíste daqui pela segunda vez. Não riste o suficiente da minha cara hoje?

— Estou interfonando porque tive uma ideia.

— Não, tu não podes mais usar o meu quarto quando não estou.

— Não é nada disso. É uma proposta de trabalho.

— ...

— Bem, você odeia a escola... e eu tenho tempo livre, ainda mais nesta época do ano. Então pensei: posso ser sua professora de italiano. Pela metade do valor que você paga à escola. Não precisa nem sair do quarto.

— Pelo visto, tu pensaste em tudo.

— Sim. As aulas serão sempre à tarde. Assim, você pode assistir Ambra todas as madrugadas sem ter que acordar cedo no dia seguinte.

— E tua mãe? O que vai achar disso?

— Mamma não vai se incomodar. Ela acha que você é muito... como se diz...

— Trouxa?

— Distinto.

— Serena, essa ideia é um despautério.

— Bom, não sei o que é despautério, mas agora estou de saída. Podemos começar depois de amanhã, segunda-feira, que tal? Quando decidir, me avise. Ciao, Bello!

Recordando essa conversa com Serena, ao interfone ontem à tarde, observo o céu. Bloqueado por uma densa camada de nuvens, o sol é somente um brilho esfumaçado. Não há o menor indício de que os incautos sentados ao longo da escadaria conseguirão assistir ao crepúsculo neste domingo frio. Tu lembras que combinamos de não perder nenhum pôr do sol durante nossa estadia na Itália? Roma foi o único lugar onde não falhamos um único dia nessa missão. Em uma cidade construída entre sete colinas, o que não falta são belos lugares para assistir a este espetáculo. O mais bonito, vimos justamente daqui. Neste exato degrau.

Limpo as mãos em um guardanapo e repasso mentalmente cada mordida do panino. Sinto novamente o sabor da carne de porco, há tanto tempo substituída por peito de frango ou atum enlatado. Sem dúvida, essa foi a mais saborosa e engordurada refeição que fiz desde que cheguei, há quase uma semana, o que deve ser um triste recorde na Itália. Que dias... tudo tem sido muito mais estranho do que o previsto. De que adiantou tanto planejamento para essa aposentadoria? O sonho com o fim das incomodações e esquecimento dos remorsos, vivendo apenas de remédios e lembranças de nossa lua de mel. E aqui estou, menos de sete dias depois do desembarque, mandando o colesterol às favas. Como ex-atuário, diria que, se continuar assim, minhas chances de sinistro são altas.

Levanto e sacudo as migalhas do paletó. Com o sabor da porchetta ainda em meu paladar, ajeito o chapéu, enfio as mãos nos bolsos e começo a descer os degraus, assoviando com satisfação. Os demais visitantes da escadaria se voltam para mim, espantados com meu bom humor diante do poente que nos foi sonegado. Mal sabem eles que, alheio às nuvens, só tenho dois dilemas a resolver neste domingo nublado: primeiro, se tenho estômago para repetir o panino. Segundo, se devo aceitar a proposta de Serena.

Sorrio. Para ambas as questões, a resposta parece ser a mesma.

No exato instante em que o ex-papa aponta duas da tarde, ouço as batidas na porta. Contra todos os prognósticos, Serena é pontual.

— Ciao, Bello. Tutto a posto?
— Tudo. Mas para que a garrafa de vinho? E a taça? Não trouxe livros?
— In italiano! Niente portoghese in questa classe.
— Hã... perché... stai portando... vino?
— Materiale didattico.

Com seu sorriso violeta, ela entra e senta. Na cama, é claro. De novo, veste a camiseta BUONGIORNO PRINCIPESSA, agora acompanhada de uma calça jeans cheia de rasgos. Sento na única cadeira, enquanto a filha de minha senhoria me observa com debochado ar professoral. É segunda-feira, o frio de janeiro fica preso lá fora e a primeira aula está para começar.

— Sei proprio elegante oggi, caro Roberto.

Ela caçoa do meu traje, me olhando de cima a baixo. Me vesti como se fosse à Scuola Romit, apesar de estarmos em casa. Paletó tweed cinza, camisa branca, gravata cor de chumbo. Só falta o chapéu.

— Grazie, signorina Felice.

Então, Serena se põe a explicar seu método pedagógico. Fala de maneira clara e articulada, fazendo pausas para que eu compreenda tudo. Em alguns momentos, parece mesmo uma experiente professora particular, segura de seu sistema de ensino. Que, pelo que entendo, é um total disparate.

— Serena... questo non va bene.

— Ma perché no?

Por que seu modo de ensinar não vai funcionar? Porque se a cada resposta errada eu beber um gole de vinho e a cada resposta certa ela beber, tudo que conseguiremos é nos embriagar. Pelo menos, é o que penso, enquanto Serena me encara, aguardando que eu explique a recusa.

— Porque se a cada resposta errada eu...

— In italiano, Bello.

— Hã... perché... se...

Não vai dar certo, não há como levar isso a sério. E sinto um inexplicável constrangimento por, pela primeira vez, não conseguir conversar com Serena. Tento formular mentalmente a resposta em italiano, mas fico travado. Ela, então, se antecipa:

— Bevi, Bello.

Como não consegui desenvolver minha tese contra o seu método de ensino, a professora ordena que eu beba, me passando a taça e sua garrafa sem rótulo. Acato a ordem e sirvo uma pequena dose, que bebo lentamente. Desacostumado ao álcool, já ao primeiro gole sinto que sou mais suscetível ao langor que a bebida causa. Só de sentir o perfume, já relaxo. Este vinho é bem diferente do anterior... seu sabor é suave, leve, como se contasse um segredo aos poucos, me deixando com vontade de saber mais e mais. Mas me contenho.

— Questo vino è un Sangiovese, Bello.

Mal ouço o que a professora diz, olhando fixamente para a taça. Lembro do nosso curso de italiano, onde te conheci. E te vejo passar de novo, de cabelos a balançar pelo centro da cidade. A moça bonita, baixinha, de olhos grandes, abraçada a livros e cadernos. Quando dei por mim, estava seguindo os teus passos e fazendo matrícula na escola de línguas onde estudavas, tentando descobrir o teu nome. E, depois, indo às aulas só para te ver. Sequer gostava de italiano, mas li toda a bibliografia, me apliquei nos estudos, tudo para não fazer feio diante de ti. Meus colegas de trabalho riam de mim, o securitário apaixonado. Entre números e tabelas, de repente surgiram poesias e romances. Me tornei literato e cinéfilo. De início, para te impressionar. Eu, com vinte e oito anos na cara, levei quase dois semestres para me declarar para uma guria de vinte e três. Lembra do meu nervosismo, na cafeteria próxima ao curso, te dando flores? Quando perguntei se tu querias namorar comigo, respondeste aos risos: "Até que enfim!". E passei a ter dois amores: a Itália e tu. Três, quando veio Clara.

Serena tira a taça de minhas mãos e me desperta. Avisa que vai fazer outra pergunta e pede que eu relaxe, sugerindo que responda com o italiano que vier, sem medo de errar. Concordo com um suspiro.

— Come è andata la scuola oggi?

Em italiano titubeante, respondo que a diretora da Scuola Romit não gostou quando apareci esta manhã, em horário de aula para evitar encontrar colegas pelos corredores, pedindo para cancelar a matrícula. A escola devolveu somente metade do dinheiro investido. Eu havia pago o curso por seis meses adiantado, achando que seria o suficiente para recordar tudo que aprendi no passado. Pensei que sairia falando italiano fluente, para fazer jus à cidadania italiana que levei sete anos para conseguir, ainda no Brasil, em caro e burocrático processo. E agora estou aqui, gaguejando diante da filha de minha senhoria.

— Bravo, Bello! Prossimo esercizio di conversazione: presentami Roberto Bevilacqua.

Ela bebe um gole de vinho, pois respondi corretamente a pergunta anterior. E agora quer que me apresente, como se não nos conhecêssemos.

— Não sou um bom assunto, Serena.

— Éeeeeeehn!

Ela faz um barulho de campainha com a boca, um som irritante. E me estende a taça, com uma boa dose. Obediente, bebo. Talvez tenha errado de propósito, só para experimentar mais um pouco do Sangiovese. Acontece que, aquecido pelo vinho, me animo a falar, como se o líquido desatasse algum nó dentro de mim. Assim, repito o discurso que escandalizou a signora Moretti e meus colegas no primeiro dia de aula na Scuola Romit. E mais uma vez, discorro sobre ser brasileiro, ter setenta e dois anos, ter sido obrigado a me aposentar, ser viúvo, ter perdido minha única filha e, por fim, ter decidido vir à Itália, lugar onde fui mais feliz, para morrer em paz.

— Ecco! Bravissimo, Roberto!

A professora bebe um gole de vinho.

— Madonna! Está escuro. Que horas são, Bello?
— Vejo que voltaste a falar português. Concluo, então, que a aula acabou. São cinco e meia, recém anoiteceu.
— Quanto tempo dormi?
— Quase três horas.

Serena se espreguiça, esparramada entre os travesseiros e o edredom. Parece uma pintura renascentista, com a cabeleira castanha espalhada pela cama como em uma tela de Botticelli. Mais do que nunca, o leito parece uma nuvem. Com preguiça, ela se senta e procura a garrafa de vinho. Que encontra vazia, sobre o criado-mudo.

— Ecco qui, Serena.
— O que é isso?
— Os exercícios que me passou antes de cair no sono. Todos feitos.

Minha professora pega as folhas soltas que lhe estendo. Diversos jogos de palavras e passatempos em italiano. Uma compilação de exercícios que ela, é óbvio, catou aqui e ali pela internet, provavelmente impressos em um dos tantos cibercafés da região. Todos resolvidos enquanto ela dormia o sono das bacantes, as ébrias sacerdotisas de Baco. Depois de um início titubeante, meu desempenho nas perguntas e respostas durante a conversação foi tão inesperadamente bom que, devido ao seu método de ensino, só lhe restou o coma alcoólico.

— Me parece que você se saiu muito bem, Bello.

— E me parece que é hora de tu voltares para o teu apartamento.

— Você é um encanto, sabia? Va bene. Em casa, corrigirei tudo e, depois, lhe darei a nota do dia.

— Imagino.

— Ciao, Bello. Buonanotte con Ambra.

— Até amanhã, Serena.

Sorriso violeta, nova espreguiçada, saída silenciosa. Mais uma vez, o quarto escurece um pouco quando Serena sai de cena, levando sua garrafa vazia. Para onde será que ela irá esta noite? Imagino que, logo que entrar em seu apartamento, esquecerá de mim. Enquanto aqui, só me resta aguentar a programação televisiva até as duas da manhã. Devo admitir: é um alívio não ter que ir à aula no dia seguinte.

Acendo o fogão, que na verdade se chama cooktop, segundo minha professora particular. Acho graça que o maior aprendizado deste primeiro dia de aula seja um termo em inglês. Disponho a panela com água sobre a chama imaginária da cozinha embutida. E enquanto o líquido ferve, observo o spaghetti fresco que comprei no supermercado, quando me dei um breve recreio durante a tarde. Com Serena a dormir, também comprei dois ovos e pancetta, o bacon italiano. E agora me vejo como um malfeitor hesitando antes do crime. Ainda há tempo de não cometê-lo e meu sistema digestivo ainda tem esperança de que eu desista do desatino. Mas prossigo. E, a sangue frio, preparo uma carbonara.

Fazer essa massa é como andar de bicicleta. Mesmo eu, depois de tantos anos de dieta, sou capaz de prepará-la com mãos relativamente ágeis. Usando a melhor faca que encontro, transformo o gorduroso naco de pancetta em minúsculos e reluzentes cubos rosados, que clamam por serem fritos. Enquanto o aroma da carne estalando no fio de óleo desperta minhas saudosas narinas, quebro dois ovos e bato apenas as gemas em um prato. A água borbulha e a massa dentro dela cede, impregnada com uma pitada de sal grosso. A mim, basta unir estes três elementos em fumegante mistura. Spaghetti fervente, gemas batidas e bacon recém-frito. Uma esquadra pronta para a invasão arterial.

Monto um prato com uma singela folha de salsinha em cima, para perfumar. Como acompanhamento, posiciono um copo d'água ao lado do prato, como se pedisse desculpas a mim mesmo. Observo a obra realizada em menos de vinte minutos, iguaria simples e deliciosa. Teu prato favorito, meu amor. A pior parte do teu tratamento, quando mal podias levantar da cama, foi justamente não conseguir comer esse tipo de comida, nem beber teus cafés ou teus amados vinhos. No final, só água te caía bem. "Isso é o que eu chamo de adotar o sobrenome do marido", tu ainda brincavas. Mas eu não achava graça em nada naqueles dias.

Toc toc.

— O que foi agora, Sere...

Abro a porta, mas não há ninguém no corredor. Então, olho para baixo. Sobre o capacho, a já familiar garrafa de vinho sem rótulo. Novamente cheia, bem diante dos meus pés. E colado nela com um durex, um pedaço de folha de caderno rasgada, contendo o seguinte texto, escrito à mão:

Alunno: Roberto Bevilacqua
Conversazione: 10
Grammatica: 7
Media del giorno: 8 e ½

Enquanto sorrio para o meu oito e meio, ouço o motor da lambreta lá fora. E o seu ronco se distancia na noite.

*O*s dias passam. E com eles, vou seguindo o curso particular de italiano e ignorando muitas das recomendações médicas que imperaram em minha vida nos últimos anos. Assim, janeiro voa. Frio lá fora, aconchegante aqui dentro. Satisfeito, durmo até quase meio-dia todas as manhãs. Minhas tardes são de Serena, sempre com exercícios e vinhos diferentes. As noites são de massas e risotos, feitos por mim mesmo. As madrugadas, é claro, são das reprises de *Non è la Rai*, o show de Ambra Angiolini. E entre uma coisa e outra, meus remédios.

— Ecco qui, Bello: la soluzione per il tuo fine settimana.

Ah, sim, até nisso a professora pensou... ao final da primeira semana de aulas, encontrou um pequeno aparelho de DVD no depósito do último andar e instalou na televisão do quarto. E o principal: me presenteou com um CD repleto de programas e clipes de Ambra baixados da internet. Um presente por minhas boas notas, que de quando em quando ela me apresenta, sem critérios muito específicos. Seu curso de italiano é puro improviso, mas me sinto à vontade por não precisar interagir com mais ninguém além da paciente e tranquila filha de minha senhoria.

Às vezes, Serena me deixa assistindo alguma vídeo-aula em seu celular e me esquece, passando o horário letivo pintando as unhas, lendo um livro ou tirando uma soneca em minha cama. Dia desses, ao término de um vídeo sobre preposições, perguntei o que deveria fazer a seguir. Sem tirar os olhos das próprias unhas dos pés, toda retorcida sobre o edredom, ela disse que havia outros vídeos na nuvem, bastando baixar e assistir. Quando procurei embaixo da cama, ela começou a rir. Nunca entendi.

A pedido meu, o método do vinho foi abandonado já no segundo dia. Mesmo assim, l'insegnante continua bebendo sempre que dou alguma resposta especialmente boa. E é claro que, segundo a sua generosa avaliação, isso acontece muitas vezes. Serena também afrouxou a obrigação de falar em italiano o tempo inteiro. Seguir regras, mesmo que criadas por ela mesma, não é sua especialidade. E isso garante que cada aula seja completamente diferente da anterior. Da cartola chamada Google, está sempre tirando coelhos. Nesse mundo virtual, baixa livros e músicas, encontra lições de italiano para me passar e conversa com muita gente. Inclusive, com a mãe. As duas parecem se comunicar mais por mensagens de texto do que por voz. Quando me passa exercícios por escrito, impressos de graça no cibercafé de um apaixonado paquistanês da vizinhança, e me troca pelo celular, às vezes fico curioso para saber o que ela tanto futrica no aparelho.

— Vejo que está compenetrada hoje.
— Estou lendo.
— Lendo o quê?
— Um livro.
— Nessa tua coisinha aí?
— Melhor que o seu celular velho, que não faz nem recebe ligações. Aliás, por que você mantém essa coisa?
— É o meu despertador. E tu? O que estás lendo?
— Dostoiévski.

Em boa parte do tempo, as aulas são assim: papo para o ar. Às vezes em italiano, às vezes em português. Hoje, três semanas depois do início de nosso acordo, já não estranho mais esse falso curso, que camufla o delicioso ócio de nossas tardes. A professora finge não perceber que, quando parte ao entardecer, recorro às apostilas da Scuola Romit para tirar dúvidas. À noite, Serena dificilmente reaparece com suas batidas na porta. Nesse quase um mês, lembro de uma única visita noturna, um divertido episódio, quando um suposto ex-namorado se pôs a clamar por seu nome em altos brados, sozinho na rua, diante de nosso edifício. Era uma noite agradável, menos fria que o usual, em que eu deixava a janela aberta. Lembro de estar jantando, me perguntando se deveria ou não aparecer à janela para conferir o escarcéu. Nunca fui dado a fuxicos, mas o homem gritava demais. Pedia que Serena voltasse para ele, dizia que a amava, que não podia viver sem ela, em italiano choroso. Recordo que fiquei feliz por compreender tudo o que ele dizia, enquanto degustava uma alcachofra à la romana, acompanhada de uma bisteca regada ao azeite com alecrim. Foi quando, sem qualquer anúncio, a porta do quarto se abriu.

— Ciao, Bello.
— Ciao, Serena.

Placidamente, portando um grande balde, a filha de minha senhoria se aproximou da janela, mas sem se mostrar à rua. E com um movimento firme e veloz para a frente, lançou uma onda de água fria para fora, bem na cabeça do ragazzo inconveniente. Até então, tudo o que ele pedia, para toda a rua ouvir, era que ela o amasse. Porém, após o banho, os gritos passaram a ter um teor bem menos romântico. Nesse momento, minha professora saiu do quarto, expressão impassível. Então, levantei e caminhei até a janela, limpando os lábios em um guardanapo. Não resisti em espiar. Lá embaixo, vi o rapaz ensopado, loiro, com jaquetão de couro, pinta de galã afogado. Ao me ver, apresentou o punho, disse um xingamento que não compreendi e se foi. Não pude deixar de rir, principalmente por ele ter achado que fui eu quem o molhou. No dia seguinte, a pichação que dizia TI AMO SERENA na fachada do prédio ganhou uma intervenção. Desde então, ali se lê:

~~TI AMO~~ SERENA ZOCCOLA

— Che significa zoccola, Serena?
— Zoccola è un aggettivo per la donna che fa l'amore con qualcuno. Una seduttrice. Essere zoccola è un difetto, una vergogna.
— E quando è un uomo? È uno zoccolo?
— No... un uomo seduttore e che fa l'amore con qualcuno è un marpione. Ma, in questo caso, l'aggettivo è una qualità. Viva l'Italia.
— Viva il mondo, Serena.

Acho que essa foi a única vez que vi minha professora triste, com rara amargura ao explicar o adjetivo que lhe foi dedicado. Mesmo assim, se negou a limpar a pichação e impediu sua mãe de fazê-lo. Da janela, percebo que ela evita olhar para esse ponto da parede sempre que sai do prédio. De qualquer forma, Serena é uma garota com pouca vocação para o rancor, que dita seus atos e reações aos outros com base em apenas um critério: ou quer, ou não quer. Se quer dormir, dorme. Se quer comer, come. Se quer beber, bebe. E se quer fazer amor, como ela mesma diz, vai lá e faz. Por isso lambe os dedos quando come algo gostoso. Por isso busca com a língua a gota que se esquiva no fundo da taça. Por isso adormece em qualquer lugar, sozinha ou abraçada à garrafa, ao travesseiro ou a alguém.

Por isso goza, não importa a competência do par. Só não precisava me contar esse tipo de coisa, se divertindo em me constranger.

— Respeite os meus cabelos brancos.

— Quando a gente tem cabelos brancos, não faz mais amor?

— Pelo visto, a aula de hoje acabou. E é...

— Hora de eu ir para casa, já sei. Ciao, Bello!

E ao cair do sol, todos os dias, ela se vai. Achando graça de meus modos ríspidos, quase me convencendo de que realmente gosta da minha companhia e não apenas do dinheiro que lhe pago às sextas-feiras. Imagino que esse bico lhe veio a calhar neste inverno. Um modo de sair de casa todas as tardes, onde a mãe vive lhe designando tarefas, segundo a única reclamação que ouvi sair de sua boca. Também não tenho do que me queixar. Graças a Serena, vivo em paz em meu quartinho. Ninguém nos vê juntos, ninguém tem ideias distorcidas sobre a nossa relação. Não sei bem por que, lembro do que um colega de trabalho respondeu certa vez, quando o repreendi por sair com meninas com idade para ser nossas netas. "Devem ter nojo de velhos como nós", eu lhe disse. Ao que, com a mão em meu ombro, o nobre securitário retrucou "olha, Bevilacqua... eu adoro camarão, sabe? Então, o que eu faço: vou ao restaurante e pago por um prato de camarão. Nunca perguntei o que o camarão acha de mim". Na ocasião, sorri amarelo para o colega, que gargalhava da própria piada, balançando a pança. É triste, porque o camarão não tem escolha. Serena, ao que parece, só faz o que quer.

— Ciao, Bello! Non vuoi venire?

— Forse domani, Serena.

Assim, acabei me acostumando ao carinho de Serena e aprendi a lidar com suas gozações. Como quando, quase todas as noites, depois das onze, ela parte para as suas festas. Escorado à janela, bebendo café para me manter acordado até a hora de Ambra, adquiri o hábito de espiar sua saída para sabe-se lá que lugares. Em pé em sua Vespa preta, jaqueta de couro, jeans rasgado e cabelos soltos, ela nunca parte sem antes me saudar, abanando com a mão enluvada. A gozação está no fato de sempre perguntar se quero ir junto. "Non vuoi venire?", grita, na maior desfaçatez. Ambos sorrimos. Principalmente quando ela está com algum amigo ou amiga na garupa, que teria que ceder seu lugar se eu resolvesse aceitar o absurdo convite. "Talvez amanhã, Serena", é o que sempre respondo, antes dela rasgar a noite com o ronco de sua moto.

Clara também tinha uma motocicleta. Tu te lembras? E também vivia me convidando para uma volta, sabendo que eu jamais aceitaria. Tu sabias, meu amor, que a moto é, proporcionalmente, o veículo com maior índice de sinistros? Sempre fui muito bom em antecipar acidentes que nunca aconteceram. Uma imaginação fértil para desgraças é a maior qualidade de um atuário. E de um pai prudente. Em minha cabeça, previ todos os cenários de catástrofes que poderiam ter ocorrido com nossa filha. Mesmo assim, a perdi. Hoje, percebo que passei a vida esperando pelo Grande Sinistro, a tragédia que está sempre na iminência de destruir nossas vidas. "Ele está sempre à espreita", eu costumava dizer quando palestrava nos almoços do sindicato, sob palmas do mercado segurador. Só não dizia que pode ser que nunca aconteça, o tal do sinistro. Engraçado que, hoje em dia, parece que os jovens usam esse termo como gíria para coisas incríveis.

— Bellooo!

Uma ou outra vez, aconteceu de Serena voltar de suas aventuras noturnas e eu ainda estar acordado. Amantes afoitos demais, festas com bebidas de menos, nunca pergunto o motivo de seu retorno antes do alvorecer. Até porque ela conta de qualquer jeito. É engraçado ver minha professora embriagada, enrolando a língua e misturando português com italiano, às vezes com espanhol e francês no meio. Pouco entendo do que ela diz nessas horas, mas sinto profunda ternura, uma vontade irrefreável de lhe proteger. Enquanto preparo um café forte para lhe restabelecer, me pergunto por onde anda seu pai. Mas guardo a questão para mim, agradecido por ela também evitar entrar a fundo nas minhas questões pessoais. Com Serena, é tudo a seu tempo.

Nessas poucas ocasiões, cedi a nuvem para a professora dormir. Quando está muito bêbada ou alterada por substâncias suspeitas, Serena tem receio de que a mãe a veja. Sonia Felice parece ser a única pessoa cujo julgamento ela teme. Uma mulher reservada e de pouca conversa, mas que sempre mantém um olhar franco e amistoso. Costumo ver minha senhoria somente de passagem, no supermercado ou subindo e descendo as escadas do Palazzo Felice. Mãe e filha não se parecem fisicamente. Tento imaginar o pai de minha jovem amiga romana e visualizo um homem passional, vigoroso e valente. Talvez um marinheiro, intrépido desbravador, um amor em cada porto. Ou um foragido, em alucinante fuga da justiça, da máfia ou dos dois. Com certeza, não um securitário como eu. Que, na vida, acumulou apenas dinheiro e colesterol.

— Confia em mim.

— Tens certeza de que é isso que tu queres, filha? Não há motivo para ter vergonha... se ainda não te sentires pronta, podemos...

— Já disse que tô pronta, papai!

— Quem sabe mais umas voltas com as...

— Pai, por favor, tira as rodinhas. Não vou cair da bicicleta. E, se cair, levanto. Todos os outros pais da pracinha já tiraram. Tu é o único que quer que eu ande assim pra sempre!

— Não seria má ideia.

Clara sempre foi mais articulada do que as outras meninas da sua idade. Aos sete anos, já era cheia de convicções. Mesmo assim, nossa filha não aguentou e riu da minha resposta. Decerto, não esperava uma covardia tão franca. Por mim, estaríamos todos andando de rodinhas até hoje, em segurança. Nós três, juntos, sempre. Quem sabe com netos? Netos... um sonho impossível. Vocês duas insistiram em escapar por entre meus dedos, cada uma à sua maneira.

Toc toc toc.

— Ciao, Bello.

— Ciao, Serena.

— Pronto per la lezione di oggi?

É sexta-feira, última de janeiro. São duas da tarde e saio da frente para que a professora entre no quarto. O perfume do seu cabelo me causa tristeza antecipada: vem aí mais um fim de semana sem aulas. Aqui, ficaremos somente eu e meu CD com reprises de Ambra, todas já assistidas e decoradas, sentindo falta das aulas de italiano. Por dois dias, Serena se junta a ti e à Clara no meu pensamento, no lugar onde guardo as saudades. Sim, devo admitir: minha nova amiga, ao contrário das massas e vinhos que tenho ingerido, me faz muito bem. Ciúmes, meu amor? Pela primeira vez, acho bom que tu nunca respondas.

— Com'è stata la ùltima notte con Ambra?

— Bellissima, come sempre.

Serena se senta na cama enquanto acaricio minha barriga discretamente, na região do fígado. Tem doído um pouco. Mas o que é que não dói, não é mesmo? Está tudo bem.

Pois se meus remédios, dieta e sono estão desregulados, ao menos o grande objetivo foi cumprido. Afinal, foi para isso que vim à Itália, quatro décadas depois de nossa lua de mel. Estou aqui para lembrar de ti, meu amor. Reencontrar o teu rosto. Que, graças a Ambra e Serena, voltei a ver mesmo de olhos fechados, sem precisar recorrer à foto esmaecida. Agora mesmo, sorrio e vejo tuas feições, que novamente sei de cor.

Saber de cor. Saber de coração, em latim, segundo minha professora. Expressão que nunca foi tão verdadeira como neste primeiro mês em Roma.

*N*HEEEEEC... TLIM TLIM TLIM.

O rangido da porta, seguido de sinos, não estava nos planos. Graças ao acompanhamento sonoro, minha entrada na loja faz o homem atrás do balcão se virar para mim de imediato. Um cinquentão de ombros largos, traços rústicos e bronzeados, farto cabelo acinzentado. De cachecol combinando com o paletó azul-marinho, é o típico italianão de capa de revista. Dou uma espiada na vitrine, à minha esquerda, visando a rua. Do outro lado do vidro, de sobretudo vermelho e parada na calçada, Serena faz sinal de ok com uma das mãos e dá uma piscadela motivacional.

— Buonasera, signore. Posso aiutare?

Diante da pergunta do vendedor, tiro o chapéu e pigarreio. Não, ninguém pode me ajudar. Conto apenas com o que estudei para esta prova prática, exame que falta para encerrar o primeiro mês de curso de italiano da professora Felice: entrar nesta pequena azienda de vinhos, ser introduzido ao engenhoso sistema de encanamentos e barris que despontam por todos os cantos, comprar minha própria garrafa sem rótulo, cheia do vinho de minha escolha, e sair da loja sem, em nenhum momento, o vendedor perguntar de onde sou. Dando início, digo:

— Buonasera. Azienda interessante, signore. Come funziona?

Sem nenhum entusiasmo, o homem sai de trás do balcão e se arrasta em minha direção, iniciando uma monocórdia palestra sobre o sistema ao redor. Diz que cada barril pertence a uma vinícola específica, de diferentes regiões da Itália. Ele não compra garrafas, apenas barris. E através deles, vende vinhos de qualidade por valor reduzido. Com gentileza, me serve uma amostra grátis de um vinho que, segundo sua descrição, é jovem e impetuoso, da região de Rufina, a menor dentre as produtoras de Chianti. E termina explicando que cada cliente fica com suas próprias garrafas, basta trazê-las vazias para novos refis. O vendedor deixa transparecer um leve orgulho ao mostrar a máquina que lava as garrafas e as enche com a bebida escolhida, lacrando o vasilhame a vácuo, com nova rolha. Intimamente, também me sinto orgulhoso. Por compreender toda a explanação e conseguir me fazer passar por um verdadeiro italiano.

— Ciao, Luigi.

Tanto eu quanto o vendedor nos surpreendemos com a saudação, que surge do nada. Mas ele logo abre um sorriso, que se expande por toda a sua face. Fico pasmo. Isso não faz parte do combinado.

— Ciao, Serena! Parlo con te in un attimo... devo servire prima questo cliente.

— Va bene, Luigi. Buonasera, signore.

— Hã... buonasera, signorina.

Enquanto trocamos boas tardes e nos cumprimentamos como se não nos conhecêssemos, tento entender o que Serena pretende com esse teatro. Tudo o que ela devia fazer era ficar lá fora, assistindo meu desempenho pela vitrine.

— Il signore parla un italiano un po' strano... di dov'è?

Minha professora pergunta de onde sou e, com o canto de olho, tento ver a reação do vendedor. Ele se mostra

completamente inexpressivo. Bebo de uma vez só a amostra do vinho de Rufina. E respondo, com rispidez:
— Napoli, signorina.
— Hmmmmm... Napoletano... che strano...
— Serena, arrivo da te in un istante, va bene?
— Sì, sì, parliamo in un altro momento, Luigi... arrivederci, signore napoletano!

Após a cena esdrúxula, Serena se põe a caminhar entre os barris, como uma cliente qualquer, analisando os vinhos e me deixando mais uma vez a sós com o vendedor. Tiro um lenço do bolso do paletó, limpo o suor da testa e peço para encher uma garrafa com o vinho que degustei. Luigi, atencioso, logo me traz uma garrafa sem rótulo. E relaxo, já ávido pelos futuros refis que farei nesta azienda tão moderna quanto antiquada. Terminado o pagamento, ambos reparamos que Serena não está mais na loja. Apertamos as mãos e, antes que ele resolva perguntar algo mais, saio da loja. Nheeeeeec, tlim tlim tlim.

— Bravo, Bello! Complimenti! Módulo um, concluído: você já consegue se passar por um italiano.

A professora se pendura em meu braço e nos afastamos pela rua.

— O que foi aquilo, Serena?! Por que tentaste me atrapalhar?

— Estava avaliando a sua capacidade de improviso. A vida é a mais severa das professoras: primeiro aplica a prova, depois ensina a lição.

— De onde saiu essa? Dante? Maquiavel?

— Li na porta de um banheiro de bar.

— Bom, se tu não levas nada a sério, fiques sabendo que eu levo.

— Já reparei. Você é o brasileiro mais tenso que conheci. Cadê a sua... como se diz?

— Displicência?

— Ginga! Adoro essa palavra.

— Ora, essa... logo tu, Serena... tão sem preconceitos, achar que todo brasileiro vive a rebolar e sambar. Pois saibas que eu não sambo. Assim como imagino que tu não dances a tarantella.

Imediatamente, minha amiga começa a rodopiar e saltitar ao meu redor. A chamo de ridícula, mas não consigo conter uma risada, enquanto ela conta que a tarantella, em sua origem, é quase um exorcismo. Segundo a tradição, principalmente nos vilarejos do sul da Itália, mulheres de comportamento fora dos padrões ou que apresentassem qualquer tipo de desejo sexual eram consideradas tarantate. Ou seja, mulheres picadas por tarântulas. E a cura era esta dança que, realizada por horas e horas, expulsaria o veneno do corpo através do suor. Porém, falando e pulando ao mesmo tempo, Serena logo se cansa. E seguimos em frente, banhados pelo sol desta tarde fria. De braços dados, não somos nada além de um aposentado e uma desocupada, matando tempo e jogando conversa fora. Ambos felizes. Ela, com o pagamento que lhe farei quando chegarmos em casa, a promessa de um fim de semana de excessos. Eu, por sua simples companhia e pelo sucesso na prova. Assim, seguimos em jubiloso silêncio. Até que, de repente, tenho uma dúvida:

— Como fizeste para entrar e sair sem tocar os sinos?

Ela me olha e sorri, o sorriso em tons de violeta. Como se quem tivesse degustado vinho fosse ela, e não eu. Então, com o enorme cabelo a balançar e caminhando sempre em frente, a professora diz:

— Tenho os meus truques. E você? Por que Napoli? Napolitanos têm sotaque forte, Luigi não deve ter caído na sua história.

— A verdade, Serena, é que o vendedor estava cagando e andando.

— Aí está uma bela expressão, que funciona tanto em italiano quanto em português. Um brinde a essas duas línguas tão lindamente parecidas!

Faço menção de lhe oferecer meu vinho recém-comprado, mas Serena tira, de dentro do sobretudo vermelho, sua onipresente garrafa sem rótulo. Que suspeito ter sido enchida enquanto Luigi me atendia, sem que ela tivesse pago por isso. E nada no mundo parece mais natural.

*U*m grau. É o que diz o termômetro no canto da tela, em um canal de vendas por telefone. De pijama, saúdo a calefação do quarto com um café forte, companheiro de vigília e gastrite. São onze da noite neste primeiro sábado sem Serena nem Ambra, já que o aparelho de DVD deixou de funcionar. Talvez por excesso de uso. Ou por mau uso mesmo. "Não se preocupe, era antigo, estava esquecido no depósito. Ninguém mais usa isso... até que durou bastante", foi o que Serena disse sobre o caso, tentando me consolar. Ao perguntar se eu queria uma tevê mais moderna com os programas de Ambra gravados de alguma outra forma, respondi que não. Acho que por solidariedade aos velhos aparelhos.

Bebo meu café e me pergunto o que fazer esta noite. Em resposta, o despertador do velho Nokia soa: hora da última bateria de remédios do dia. Abro meu potinho de pílulas e drágeas, seleciono as do horário e as espalho pela palma da mão. Para engolir, o ideal seria um gole d'água. E cá estou, com um café. Será que os remédios perdem o efeito se ingeridos com cafeína? Na dúvida, opto por minha garrafa de vinho sobre o criado-mudo, já quase vazia. Provavelmente, o álcool vá atrapalhar os medicamentos. Mas talvez me ajude a dormir.

—Tu bebes demais, Serena. Vais acabar alcoólatra.

— Mas já sou.

— Não brinques com uma coisa dessas.

— Não estou brincando, Bello. Entenda, há diferença entre alcoolista e alcoólatra: o primeiro é quem fica viciado, doente de tanto beber, destruindo a sua vida. O segundo é aquele que tem adoração pelo álcool, que busca conhecer e venerar cada garrafa. O sufixo *latra* vem de *idólatra*. Exatamente o meu caso: alguém que adora o vinho.

— E essa você tirou de onde? De uma porta de banheiro também?

— Do grego. Nem só de latim vive uma romana.

Lembro desse diálogo e rio de minha professora de línguas, com seus conhecimentos tão variados. E recordo de todas as vezes em que, por recato ou parcimônia, deixei de beber uma garrafa de vinho contigo, meu amor. Por ter que acordar cedo no outro dia, por estar no meio de gente importante, por não termos nada a comemorar. Hoje, me arrependo de todos os brindes que deixamos de fazer. De cada jantar regado a guaraná que poderia ter sido acompanhado de um cabernet qualquer. Meu Deus, que tolice ter que esperar o 31 de dezembro para abrir um espumante. Sinistro é pensar que me embriaguei tão poucas vezes ao teu lado. Tu me perdoas?

Com minha garrafa em mãos, caminho até a janela e vejo meu reflexo no vidro. Então, fecho os olhos, pois prefiro ver o teu rosto. Como vai ser esta noite, sem Ambra nem Serena, as únicas companhias que me restaram? Vim para a Itália tentando me isolar e agora me vejo assim, carente de companhia. Falar contigo em pensamento, mesmo que tu nunca respondas, era suficiente até poucas semanas atrás. Ajudava até a não pensar na ausência de nossa filha. Pego o velho celular e sinto vontade de ouvir a gravação, talvez pela quinta vez só hoje. Em uma mão, o telefone sem chip. Na outra, a garrafa sem rótulo. Qual dos dois pode me ajudar mais?

Em uma virada, bebo um último e longo gole, terminando a bebida. Sinto o líquido descer com alegria em direção ao risoto aos quatro queijos que acabei de jantar. Enquanto olho para a rua, imagino que meu sistema digestivo deve andar alarmado. Acostumado a ceias de faquir, de repente se vê lidando com uma revolução italiana.

— Bello!

A inconfundível voz de Serena me chama, vinda da calçada. Abro a janela e sinto um sopro gelado no rosto, com traços de chuva fina. De jaqueta e luvas de couro, ela acena. Está sozinha, segurando o capacete rosa, pronta para subir em sua Vespa preta e desbravar aquela dimensão que, ano após ano, vai se tornando um deserto cada vez mais vasto na vida dos velhos: o sábado à noite.

— Non vuoi venire?

A piada de sempre. Primeiro, olho para minha garrafa vazia. Depois, para a menina lá embaixo. E resolvo, pelo menos uma vez, dar uma resposta diferente de "talvez amanhã".

— Sono già in pigiama, Serena.

Ela silencia por um momento. Parece aguardar para confirmar se não tenho mais nada a dizer. Logo, percebe que realmente não tenho. Ela, por sua vez, sempre tem.

— Io aspetto.

Ela apenas diz que espera, sem precisar dizer pelo quê. E me encara, escorada na moto, com o rosto erguido para mim, ostentando um leve repuxar de lábios. Me sinto Julieta, donzelo hesitante à janela. Com Romeu, ao sereno, me prometendo a noite, a lua e as estrelas.

— Va bene.

Minhas palavras saem fracas, mas ela parece ouvir lá de baixo. Porque imediatamente ele surge: o sorriso cor de violeta. Minha professora de italiano não aparenta estar nem um pouco impressionada com o fato de que aceitei o seu convite. Ela convidou, eu aceitei e isso, como tudo ao redor dela, é muito natural.

Então, fecho o vidro da janela. E antes de trocar de roupa, ainda vejo Serena tirar uma pequena garrafa metálica de um dos bolsos de sua jaqueta. Ela ingere o seu conteúdo de olhos fechados enquanto travo as venezianas. Não sei o que está bebendo. Mas algo me diz que, em muito breve, descobrirei.

*Q*uem diria? Eu, na garupa de uma moto pilotada por alguém que acaba de ingerir álcool e dirige sem capacete. Me sinto personagem daqueles filmes de educação no trânsito que o sindicato das seguradoras costuma financiar. Apesar de achar essas campanhas educativas, sempre me pareceu um pouco constrangedor que as patrocinássemos. Afinal, por mais que se fale em proteção à vida, é ao bolso das seguradoras que protegemos quando lutamos por um trânsito com menos acidentes.

— Sei matta?!

Um motorista chama Serena de louca e nesse momento abro os olhos. Ao redor, ruas e carros são riscos de luz, encobertos pelo serpenteante cabelo de minha condutora. Abraçado à sua cintura, sinto muito frio. É como se voássemos dentro de uma tempestade de lascas de gelo, atingidos por microscópicos cacos de vidro. Fecho os olhos de novo e tudo é vento, chuva e barulho do motor da Vespa, abafados pelo capacete rosa que espreme minha cabeça. Me pergunto como ela faz para se manter imune à noite invernal, de calça jeans e jaqueta de couro, o rosto descoberto. A moto acelera e ziguezagueia pelas ruas com o gingar de seus destemidos quadris. Nas curvas, me colo às suas costas e tenho a impressão de que ela sorri ao cruzar o sinal amarelo em um cruzamento. Já eu, não sei que cara faço. Com os óculos batendo no visor do capacete, me sinto enlatado.

— Onde estamos indo, Serena?
— COSA?!!
— DOVE ANDIAMO, SERENA?!
— O QUÊ?!!

A comunicação é impossível. Então, só resta confiar na cintura de minha condutora e voltar a abrir os olhos, tentando apreciar a vista. O trajeto é estranho, culpa do caótico tráfego romano. Em menos de dez minutos, Serena cruza três vezes o Rio Tibre, passando para o lado de lá, voltando para o de cá, para enfim novamente cruzar para o outro lado do curso d'água. Nesse ínterim, recebemos muitas buzinadas. Algumas, furiosas. Outras, elogiosas. Não há como saber quando é um caso ou o outro. De qualquer forma, ela não está nem aí.

Eis que, pouco a pouco, se descortina o charmoso e iluminado bairro de Trastevere. A pavimentação de paralelepípedos, as construções cobertas de hera, as luzes amareladas. Tudo se apresenta cada vez mais nítido à medida em que minha acompanhante diminui a velocidade. Cá estamos, no famoso bairro boêmio de Roma, lugar onde nunca estive. Nem mesmo contigo, Alice.

— Siamo arrivati, Bello.

Após passarmos por incontáveis restaurantes e bares repletos de turistas, Serena anuncia que chegamos. A Vespa estaciona diante do estabelecimento mais fora de sintonia com tudo o que vi no bairro: uma casa escura, de paredes negras. Tiro o capacete e sinto meu rosto voltar à sua forma normal aos poucos, enquanto minha acompanhante agita o seu cabelo com um chacoalhar de mão. Tento encontrar alguma placa que indique o nome deste bar lotado de garotos de barbas espessas, artisticamente aparadas, e meninas com vestidos de estampas tão rebuscadas quanto suas tatuagens. Mas não acho nada. Ao que parece, o estranho lugar não tem nome. Então, me vejo de relance no espelho retrovisor da lambreta: cabelo branco, rosto amassado, óculos de hastes grossas, terno escuro e gravata preta. O estranho aqui sou eu.

— Vieni, vieni!

Serena saltita na frente, me guiando rumo à entrada. Bunda pra cá, cabelo pra lá, fazendo os rapazes ao redor se cutucarem. Todos mantêm olhos fixos em minha amiga, alheios a mim. Ela, alheia à fila. Diante da porta do lugar sem nome, nos deparamos com um maciço segurança. Aparentemente, um dos tantos refugiados com os quais evito contato visual pelas ruas de Roma. Negro retinto, ombros intermináveis, expressão fechada e olhos bem abertos. Ele determina quando e quem pode entrar na casa lotada. Diante dele, senhorita Felice me apresenta seu braço esquerdo dobrado, como um convite. Me encaixo em seu gesto e observo atentamente quando minha condutora, com debochada seriedade, diz para o mal-encarado brutamontes:

— Jawari.

Ao que ele, com voz de trovão, devolve:

— Serena.

Eles se olham com sorrisos contidos, curvas milimétricas no canto dos lábios dos dois. O segurança dá um passo para o lado e nós entramos. Minha acompanhante, na passagem, faz um afago no braço do homem. E ele, rendido, deixa o resto do sorriso escapar, enquanto ignora as indignadas reclamações dos primeiros da fila. Pergunto se Jawari é alguma senha ou saudação secreta. Serena conta que é o nome dele. Significa "paz amorosa" em senegalês. Comento que nunca um nome combinou tão pouco com uma pessoa. E fico envergonhado quando ela diz, sempre em italiano, que é uma pena pensar assim.

Avançamos até o balcão de bebidas. Esbarro em todos e receio ter um ataque epilético em meio a tantos estímulos sonoros e visuais. Luzes coloridas piscantes, música eletrônica ditando os batimentos cardíacos. Serena pega minha mão, me conduzindo com firmeza. Sinto uma pontada de tristeza. A gente descobre que está velho demais quando uma menina nos leva pela mão, e não o contrário. Lembro de Clara... e quando alcançamos o balcão, a frase "é uma pena pensar assim" ainda ecoa em minha mente. É algo que nossa filha também diria.

— O que é isso, Serena?!
— Jäggerbomb!
— Iaguer o quê?!
— Bomb! Bevi!

Serena me estende um copo e bebe outro, entornando a bebida de uma vez só. Terminado o drinque, ela diz que vai ao banheiro e some na multidão dançante. Percebo que, em público, Serena fala apenas italiano comigo. E fico feliz por compreendê-la e até captar algumas conversas ao redor. Sim, de repente me sinto feliz, como um bipolar. Faceiro por estar aqui, testemunhando a vida acontecer. Lembrando como era, como se fazia.

Olho para o copo em minhas mãos. Dentro de um líquido amarelo ouro, com cheiro adocicado, há outro copinho menor, com um líquido preto. Balanço o conteúdo e os líquidos se encontram. Corro o olhar ao redor e vejo uma tabuleta com descrições e valores dos drinques. Lá está: Jäggerbomb — energético com Jägermeister. Bebida que, para mim, nunca passou de um Biotônico Fontoura alemão. Acho graça do fato de que, para todos ao redor, a emoção desta mistura reside no álcool. Aparentemente, sou a única pessoa que pode ter um ataque cardíaco por causa do energético.

— Mas olha quem!

— Aê, Robertão! Aqui é Brasil, porra!

Não posso crer no que meus olhos veem... Mateus e Vinícius, os colegas brasileiros da Scuola Romit. Pulando ao meu redor, derrubando cerveja em meu paletó e, inexplicavelmente, entusiasmados por me encontrarem aqui. Sorrio constrangido, olhando em direção aos banheiros, procurando Serena. Mas não a vejo. Então, enquanto eles batem no próprio peito e gritam que "aqui é Brasil", bebo todo o Jäggerbomb com um gole só. E peço outro.

*S*elfie. Já conhecia o termo, mas é a primeira vez que participo de uma. Com uma haste de metal comprida, Mateus e Vinícius seguram um celular a uma distância suficiente para que dez pessoas saiam na foto que tentam tirar. Mesmo que, no clique, o foco seja apenas em nós três. Bastaria um braço bem esticado. A verdade é que, hoje em dia, não existe imbecilidade que não tenha um apetrecho que possa amplificá-la.

— Essa vai direto pro Face! Por onde cê andava, Robertão? Nos abandonou! Kaori, come here! Look who we found!

Ao chamado, surge Kaori. Em um vestido amarelo, que deve ter sido costurado pela mãe dela, tão comportado que chega a se sobressair diante dos visuais extravagantes ao redor. Com seu cabelo liso e preto, que balança quando ri, a miúda japonesa me cumprimenta em inglês, mesma língua com que se comunica com Mateus e Vinícius, apesar do curso que fizemos. Se bem que meus conterrâneos não usam só a fala para se comunicar com ela: precisam apalpá-la o tempo inteiro, nos braços e na cintura. Dois gênios da sutileza.

Sem parar de falar, eles perguntam por onde andei. Só consigo oferecer um lacônico "conheci uma amiga". Me sinto estúpido com a malícia implícita na resposta, enquanto eles me dão soquinhos e dizem que Thelma não ficaria nada feliz em saber. Em reflexo, olho para os lados, com medo da americana também surgir, mas ela não está presente. Pelo que vejo, o módulo um do curso já se encerrou. E a maioria dos alunos, aqueles que vêm à Itália para passar só algumas semanas, partem ou já partiram para os seus países neste fim de semana. Esta é a festa mensal de despedida da Scuola Romit, comentada outro dia por Serena. Por mais que não tenham aprendido a falar italiano, meus ex-colegas parecem satisfeitos. Então, peço o terceiro Jäggerbomb, pois logo vejo que nem todos passaram o mês sem aprender nada.

— Ma che sorpresa! Il nostro vecchio Roberto è ancora vivo!

Falando seu italiano impecável, o polaco Laszlo me olha de cima a baixo, sorrindo. Acha graça da própria piada, a surpresa por eu ainda estar vivo. Tento parecer simpático, mas acho que ele percebe o meu desconforto. E isso o diverte. A música no bar sem nome parece ficar mais alta, o ambiente se torna mais escuro. Quero sumir. E surgir, em um piscar de olhos, em meu quarto na Via del Boschetto, sozinho sob as cobertas, em paz. É quando sinto um puxão na manga do paletó.

— Vieni, vieni!

Fazendo as vezes de cavalaria, Serena me resgata, não sem antes deixar um beijo no ar para Mateus e Vinícius, que se derretem ao revê-la. Logo estou no meio da pista de dança, sorrindo como um bobo enquanto ela põe outro Jäggerbomb em minhas mãos. Agradecido, bebo. Quando nossos drinques terminam, ela olha para os lados. Mais precisamente, visando o pessoal que vende bebidas, para se certificar de que ninguém está reparando nela. É quando tira sua garrafinha de metal de dentro da jaqueta, que agora está com o zíper todo aberto. Dentro do bar, faz calor. Rio do familiar BUONGIORNO PRINCIPESSA que surge entre seus seios. Os garotos ao redor também ficam contentes com a visão. Serena me alcança o recipiente metálico. Então, sem pensar, entorno. E para minha surpresa, é vinho.

— Brunello di Montalcino, Bello! Vino di prima qualità!
— E isso lá é jeito de se beber vinho?!

Didática e sempre em italiano, minha motorista e professora particular diz que o único jeito errado de beber vinho é não bebê-lo. Sorvo mais um gole do sofisticado tinto contido na garrafinha. Que desce e aquece, contando diversas novidades gustativas ao meu paladar. Uma bebida sublime, cheia de nuances para quem estiver disposto a senti-las, tal qual a batida da música que ecoa na pista. De repente, me animo a mover a cabeça, bater de leve o pé, tentando seguir o ritmo. Porém, percebo a aproximação de meus colegas de curso, atraídos por Serena. Por um estranho instante, sinto antecipada nostalgia de tudo isso que está acontecendo neste bar. Logo, a filha de minha senhoria vai sumir pela madrugada, livre de mim. E só me restará embarcar em um táxi, rumando sozinho para casa, sem poder contar com o programa de Ambra na tevê nem com o DVD estragado. Quanto aos colegas da Scuola Romit, eles voltarão aos seus países. Onde lembrarão vagamente do velho que sumiu na primeira semana de curso.

— Perché questa faccia triste, Bello?!

Serena me desperta, aos gritos, tentando se fazer ouvir em meio à música. Por que meu semblante entristecido? Nem eu mesmo sei. Por isso suspiro, sentindo uma pontada no peito. Um minuto antes, estava quase dançando. Caduco e, definitivamente, bipolar.

— Acho que vou pra casa, Serena! Nos vemos segunda-feira!

Minha amiga para de dançar. E, compreensiva, se põe a falar em português também.

— Está triste por termos encontrado Mateus e Vinícius?! Ainda irritado por ter visto eles na sua cama aquele dia?!

— Nada disso! Só estou cansa...

Nesse momento, Laszlo se põe entre nós, bloqueando minha visão de Serena. Ele pergunta, sem olhar para mim, se não vou apresentar a amiga. Seu italiano é teatral, emulando timbre de locutor de rádio. Mas isso impressiona apenas a mim. Minha acompanhante o ignora, contornando-o e se colocando de novo à minha frente.

— Quem é esse?! Amigo seu, Bello?!

Laszlo sorri, mesmo sem entender o que dizemos. E, às costas dela, faz um sinal discreto com a mão, abrindo e fechando os dedos, sugerindo que eu saia de cena. Sinto o meu coração encolher, o sangue esquentar. E digo, mais alto que a música:

— Se fores... ficar... com algum dos meus colegas... por favor, todos menos este!

— Por quê?!

"Porque é um canalha. Porque me humilhou em sala de aula. Porque não respeita ninguém. Porque está me mandando embora". Penso essas respostas e imediatamente me sinto patético. Por isso, tudo o que digo é:

— Deixa pra lá! Obrigado pelo passeio! Foi... interessante! Eu pego um táxi!

Laszlo mais uma vez se põe entre nós, me encobrindo com seu cabelo loiro encaracolado, de costas para mim. Não posso ver sua face, mas percebo muito bem a expressão que Serena faz para ele. Uma encarada estranha, os olhos estreitos, como quem estuda uma presa. De súbito, seu rosto relaxa e ela me puxa para um último abraço, dizendo baixinho: "Va bene, Bello". Por fim, me solta. E volta a dançar, ainda mais animada do que antes, atraindo o polonês para o seu lado. Parece esquecer totalmente a minha presença, como se eu já tivesse ido embora. E enquanto lhes dou as costas e caminho rumo à saída, repito para mim mesmo algo que nunca deveria esquecer: estou velho demais para essas coisas.

E para todas as outras também.

— E aí, Robertão?! Conta, conta!
— Contar o quê?!
— Comeu?!

Quase à saída do bar, Mateus e Vinícius me alcançam. Não sei qual dos dois fez a pergunta imbecil, mas me dou ao trabalho de gritar com eles: "Serena é minha vizinha! Apenas isso! Me deixem em paz!". Para minha surpresa, eles se constrangem. E, juntos, declamam um "foi mal, tio", seguido de um condoído "desculpa qualquer coisa", talvez tímida alusão ao episódio ocorrido em meu quarto. Por fim, me abraçam, me desejando boa viagem. Pensam que, assim como eles, também estou de partida para o Brasil. Ah, merda... pela primeira vez, não os odeio. São apenas dois guris.

Isso me faz concluir que sou o pior tipo de velho: o rancoroso pela juventude dos outros. Raivoso por não viver mais na iminência constante de, em um lance fortuito de sorte ou competência, comer alguém, como eles dizem. Se bem que, do pouco que vi, me pareceu que foi Serena quem comeu os dois. Melhor nem imaginar. Só de pensar em sexo, já me canso. Não apenas pelo esforço físico, mas pela série de frustrações e desencontros que costumam vir antes e depois. Minha coluna enferrujada e meu membro flácido, a balançar dentro da cueca, pedem apenas que eu me mantenha aquecido e confortável. E o melhor lugar para isso é o meu quarto. Assim, cumprimento os dois com fraternais apertos de mão antes de sair para procurar um táxi.

— Sem ressentimentos! Boa noite para vocês dois, aproveitem as últimas horas em Roma!

Antes de sair porta afora, dou uma última olhada para a pista. Vejo Serena colada ao corpo de Laszlo, ambos dançando e conversando ao pé do ouvido. Sorrio entristecido e balanço a cabeça para os lados. É óbvio: ela faz justamente o contrário do que pedi. Mas não tenho nada com isso. De canto de olho, espio mais uma vez os brasileiros, que também já me esqueceram, aplicados na tarefa de encoxar Kaori. Esse é o cenário do qual me despeço: Mateus e Vinícius tentando seduzir, juntos, a japonesa, talvez um fetiche adquirido com a experiência vivida com Serena; e a própria, por sua vez, a sibilar ao redor do pescoço do polaco.

Então, tenho a impressão de que ela me procura com o olhar. Ao me encontrar, sorri. E faz um estranho sinal, batendo de leve no próprio peito, sobre o seio esquerdo. Laszlo olha ao redor e não entende. Sem deixar de retribuir o olhar de Serena, levo uma das mãos ao bolso do meu paletó, junto ao coração. Dele, retiro a garrafinha de metal, furtivamente depositada ali durante nosso último abraço. Dou uma risada e bebo um gole do vinho. E quando olho novamente para a pista, vejo minha amiga encurralar o polonês em um canto do ambiente, junto à parede. Sinto um inexplicável frio na barriga. Me flagro torcendo contra o que vai acontecer, ao mesmo tempo em que uma mórbida vontade de assistir me faz ficar um pouco mais.

É tudo muito rápido e não consigo ver bem o que acontece. Eles estão distantes de mim, em um canto escuro e só consigo entender que conversam muito próximos um do outro. Para o meu espanto, Serena desliza uma das mãos para dentro da calça de Laszlo. Ele, de olhos arregalados, com as mãos tocando de leve a sua cintura, parece gaguejar, aflito. A cena não dura nem um minuto. Logo, a romana faz um afago no cabelo do polonês, diz algo para ele, beija sua bochecha e sai. Vindo, deslizante, em minha direção.

— O que aconteceu, Serena?!
— Vim buscar minha garrafinha com você!
— E Laszlo?!
— Digamos que... ele não estava muito entusiasmado!
— Não?!
— Acontece com qualquer um, Bello!

Ela empina a garrafinha de metal e termina seu conteúdo como se fosse uma beduína com um cantil no deserto. Então, se aproxima ainda mais e me fala ao ouvido, com a mão em concha, para não termos mais que berrar:

— Seu colega Laszlo perguntou o que eu fazia com um velho murcho como você. Então, o puxei para dançar e perguntei o que ele sugeria que eu fizesse com um garotão como ele. Como seu amigo pareceu sem resposta, tentei ajudar dizendo diversas coisas que poderíamos fazer só nós dois, de maneira bem explícita. Mas quando fui averiguar o seu ânimo, bem... você sabe.

— Sei bem.
— Acho que ele ficou nervoso. Mas, como já disse, acontece.

Olho de relance para Laszlo, ainda escorado à parede, no canto onde foi deixado. Ele olha para os próprios tênis, abatido.

— Tu já sabias que isso aconteceria, não é?
— A gente nunca pode ter certeza... se vocês não conseguem prever o comportamento do próprio cazzo, como eu vou saber?

Serena volta a dançar, como se nada tivesse acontecido. Resolvo me escorar no balcão do bar, adiando minha partida mais um pouco e observando as pessoas na pista. Talvez umas quinhentas, todas a celebrar o simples fato de ser sábado. Em um primeiro momento, acho graça do que aconteceu. Mas logo sou visitado pela melancolia. Pobre garoto. Esse é o tipo de coisa que nunca se esquece. Peço um último drinque ao garçom e bebo em homenagem ao polonês. Que os deuses romanos façam da noite de hoje não um trauma, mas sim o início de um Laszlo melhor.

É quando ouço urros, palmas e assovios. Pressinto que minha amiga tem algo a ver com o frenesi e logo vejo que tenho razão. Com uma das mãos agarrada ao cabelo e a outra enganchada na cintura de Kaori, Serena beija a japonesa com ferocidade, mordiscando sua boca. Em retribuição, minha pequenina ex-colega mantém as mãos crispadas nas costas de minha atual professora, por dentro da jaqueta e da camiseta. E enquanto os lábios das duas se embatem com avidez, consigo distinguir as vozes de Mateus e Vinícius em meio à algazarra. Para minha surpresa, eles não se sentem derrotados. Pelo contrário: se abraçam, pulam, socam o ar. E repetem um grito que, diante da cena, não faz nenhum sentido:

— Aqui é Brasil, porra!

*E*stranho. Apesar do vinho e do Jägermeister, não me sinto embriagado. Somente o energético fez efeito. Levo a mão ao peito e me espanto com a palpitação forte e rápida. Sinto as pernas fraquejarem, as luzes me ofuscarem. Zonzo, caminho porta afora, buscando ar. Me apoio com as costas à parede do lado de fora e, aos poucos, minha respiração volta ao normal. Com um lenço, limpo o suor da testa e confiro o relógio: duas da manhã.

— Ambra...

Sussurro o nome e logo recordo que o programa não passa nos fins de semana. Olho a garotada no entorno, bebendo e rindo, e dou minha noite por encerrada, mesmo sem ter nada para ver na tevê. A festa está só começando para a maioria aqui. Para mim, já passa da hora de aceitar os limites do corpo. Mas, antes de sair a procurar um táxi, decido ficar mais alguns instantes encostado na parede, ao lado do imenso segurança cujo nome, que fala de paz e amor, esqueci. Até que a cabeça de Serena surge pelo vão da porta, a me procurar.

— Stai bene, Bello?

— Só tomando um pouco de ar antes de ir para casa.

— Buona idea.

Ela sai e se encosta na parede ao meu lado. Da jaqueta, puxa um cigarro e o senegalês, de imediato, estende o seu isqueiro. Os dois não trocam palavra, apenas uma piscadela. E como já não há mais fila, ele também acende um para si. Ambos baforam de maneira sincronizada, sem nada dizer, compartilhando um prazer silencioso. Chego a abrir a boca para comentar que não sabia que ela fumava. Mas logo imagino que sua resposta seria algo como "não sou fumante, mas fumo quando tenho vontade", ou alguma serenice do gênero, e só me resta lamentar intimamente por seu jovem pulmão. Até que, olhando para a Vespa estacionada logo adiante, ela diz:

— Entenda, Bello: vou levar você de volta para casa, por mais que diga que não precisa.

— E Kaori?

— Só cabe um na carona.

— Ela vai ficar decepcionada.

— Acho que não. Tenho o palpite de que o que aconteceu na pista foi o seu limite.

— E o teu limite, qual é?

Ela sorri e exala fumaça pelo nariz. Ficamos em silêncio até Kaori, Mateus e Vinícius também saírem à nossa procura. A japonesa parece outra pessoa, com o cabelo desalinhado, sorriso tranquilo e um olhar semelhante ao de Serena, algo entre o sonolento e o saciado. Elas se encaram de modo a parecer que tudo ao redor está desfocado. Minha amiga lhe tasca um beijo violento nos lábios e as duas fecham os olhos, enquanto meus colegas brasileiros, o guardião africano com amor no nome e eu assistimos com a respiração suspensa.

Tanto o beijo, quanto o cigarro, uma hora terminam. Diante do bar, em meio às pessoas que optaram por festejar e beber na rua, todos se despedem. Retribuo o aceno de cabeça do segurança e aceito novos abraços dos colegas, já saudosos de uma amizade que nunca existiu. Concordo com a ideia de todos nos reencontrarmos no Brasil, lançada por Mateus. Não conto que nunca mais voltarei ao nosso país, mas acho que só de saber qual deles é qual já é suficiente. No calor da despedida, lembro de Laszlo. Se estivesse aqui, talvez o abraçasse também. Pobre rapaz... quanto mais jovem, mais impressionável com uma brochada. Mas vai passar. E outras ainda virão.

Quando Kaori finalmente termina de se despedir dos lábios de Serena, minha condutora me passa o capacete rosa. Enquanto os demais retornam ao bar sem nome, subimos na moto. Antes da Vespa roncar, deixo escapar um comentário:

— Eu não sabia...
— Não sabia o quê, Bello?
— Que tu...
— ...
— Bem, que tu...
— Diga.
— Não sabia que tu eras homossexual.
— Palavra comprida para uns amassos.
— Tu és lésbica, então?
— É... às vezes sou.
— Não entendo.
— Não há muito o que entender.
— Mas, até então, só tinha te visto com homens, Serena.
— È vero.
— Então... tu és bissexual?
— Não gosto deste termo também. A mim, soa como se eu tivesse duas vaginas.
— Então, o que tu és?

Com gentileza, ela tira o capacete rosa de minhas mãos e o encaixa em minha cabeça. E me dá uma boa olhada, sorrindo só com o canto dos lábios, de maneira quase piedosa. Então, estende a mão e me cumprimenta, como se estivéssemos nos conhecendo agora.

— Serena Felice. Piacere.

Enfim, ela me dá as costas, joga o cabelo para trás e acelera. Enquanto eu, agarrado à sua cintura, fico triste. Nossa conversa ecoa em minha mente enquanto ruas passam como borrões e fico pensando em como, no fim das contas, é fácil falar sobre essas coisas. Clara ficaria abismada: logo eu, dizendo palavras como "lésbica" e "homossexual", cruzando a madrugada na garupa de uma moto. Penso nos eventos do mercado, clubes do bolinha muitas vezes vedados às mulheres, onde tantas vezes ouvi piadas girarem em torno de veados e sapatonas. Jamais consegui rir. Essas coisas não deveriam ser assunto. Nunca. Seria tudo muito mais fácil. Aperto Serena, fecho os olhos e penso que só quero voltar ao meu quarto.

— Bello.

— Hm?

— Chegamos.

Abro os olhos e a moto vai perdendo velocidade até finalmente parar. Diante do Palazzo Felice, um vulto. Parada ao lado da pichação SERENA ZOCCOLA, enfiada em um volumoso casaco de pele, Thelma Adams nos sorri, com seus cabelos vermelhos parecendo chamas à luz do farol da Vespa.

— Hello, Marcello. Sorpreso?

Tiro o capacete e inspiro profundamente. Serena olha para ela, olha para mim e ambas aguardam minha resposta. Então, penso em tudo o que aconteceu nesta noite. E, num suspiro, respondo à americana:

— No. Per niente sorpreso.

— Serena, questa è la signora Adams.
— Thelma. Only Thelma, please.
— Va bene... Serena, questa è Thelma, la mia amica della Scuola Romit. Thelma, questa è Serena, la mia...

Serena estende a mão para a sessentona de cabelos cor de tomate, dizendo:

— Sono l'amica bisessuale.

Thelma arregala os olhos, sem saber se compreendeu o que lhe foi dito, enquanto suspiro mais uma vez. Como proprietária do imóvel, Serena salta da Vespa e assume a direção da cena, abrindo a porta e indicando que entremos, antes que a pneumonia nos encontre. Uma vez dentro do palazzo, pergunto a Thelma o que fazia sozinha, no meio da madrugada, diante de nosso edifício. Ela diz, meio em italiano, meio em inglês, que parte amanhã e que quis me ver antes. Penso em perguntar como sabia que eu morava neste prédio, mas logo lembro do dia em que me viu entrando aqui após a aula. Em meio a esse raciocínio, a americana comenta que pensava que eu já tivesse retornado ao Brasil. Ao que, de imediato, respondo:

— Ma se pensavi questo, perché sei venuta?
— Ti ho visto su Facebook.

Me viu no Facebook? Levo apenas um segundo para entender e voltar a odiar Mateus e Vinícius. Para piorar, olho ao redor e percebo que estamos a sós. Serena, é claro, escapuliu.

— Tutto bene con te?

Aflita, Thelma Adams pergunta se estou bem e tento me lembrar de quando foi a última vez em que estive. Mas digo que sim, por educação. E quando penso em lhe dar boa noite, ela se oferece para ir comigo até minha porta. Sem presença de espírito para negar a sugestão e com medo de onde isso vai dar, começo a subir as escadas bem devagar, tentando adiar o momento em que nos encontraremos diante de meu apartamento. Ao passar pelo segundo andar, vejo que as luzes estão desligadas sob a porta das Felice. Então, inevitavelmente, logo chegamos ao terceiro pavimento. Coloco a chave na porta e decido despachar a visita de vez:

— Grazie per la visita, Thelma. Buona...

— Posso entrare?

Não respondo. Apenas abro a porta e cedo passagem, em mais um reflexo de educação. Thelma adentra minha pequena câmara com nervosismo indisfarçável, olhando ao redor e esfregando as mãos. Vez por outra, me lança um sorriso frouxo, constrangida e hesitante. Mil coisas parecem estar passando por sua mente. Em contraponto, tento não pensar em nada. Até que, por fim, percebo que ela se põe a contemplar minha cama. A grande nuvem.

Silêncio. Sem pressa, ela tira o seu casaco de peles e, delicadamente, o larga sobre o colchão. Agora, Thelma veste apenas um vestido preto, justo demais. Mesmo assim, percebo que em algum momento, talvez não tantos anos atrás, a mulher diante de mim foi belíssima. Apesar do rosto esticado no limite das boas práticas da cirurgia plástica, imagino que seu sorriso e cabelos flamejantes já devem ter destroçado alguns corações em sua pequena e monótona cidade natal, no interior dos Estados Unidos.

— Da quanto tempo vostra sposa è morta?

Sem rodeios, com o linguajar seco de quem não domina a língua que fala, ela pergunta há quanto tempo minha esposa é falecida. Nunca me acostumo com essa questão. Quando respondo trinta e sete anos, é Thelma quem se espanta. Comenta que faz muito tempo e não sei o que dizer. Ela, então, prossegue:

— Mio marito è morto due anni fa.

Sigo sem resposta e ela se senta na cama, ao lado do casaco, olhando para mim. Me mantenho de pé, mãos nos bolsos do paletó e, em esforçado italiano, ela retoma a palavra. Deixo que fale e percebo que a Scuola Romit lhe fez bem. Cada vez mais segura, ela discorre sobre os dois anos desde a morte do marido. Fala de solidão, do tédio, da saudade e da velhice que bate à porta. Calo diante de seu relato sobre como ele era maravilhoso e ela parece feliz em ser ouvida. Eu, satisfeito por não precisar dizer nada, sorrio fraternalmente, com um repuxar de lábios. Até que ela começa a desabafar sobre um segredo... e suo frio quando, após longa pausa, Thelma Adams conta que, desde adolescente, sempre teve uma fantasia secreta: quando fazia amor, era o rosto de outro homem que lhe vinha à mente. Alguém inalcançável. Então, arregalo os olhos. E como quem vê um tsunami se aproximar e sabe que não adianta correr, só agora percebo que seu vestido preto é igual ao de Anita Ekberg em *La dolce vita*.

— La mia fantasia era fare l'amore con Marcello Mastroianni.

Engulo em seco. E, devagar, ergo o dedo indicador, pedindo licença. Arrastando os pés e sem lhe dar as costas, caminho para trás. Tudo muito lentamente, como se Thelma Adams fosse uma fera que, ante qualquer movimento brusco, fosse me atacar. Quando chego à porta, nos encaramos, silenciosos e aflitos. Ela, sentada na cama, mãos entrelaçadas sobre as pernas. Eu, com o mundo inteiro para me refugiar do lado de fora. Sem dizer nada, saio ao corredor, deixando a americana dentro do quarto. Com cuidado e tentando não fazer barulho, fecho a porta. E quando me vejo sozinho, imagino que Roma nunca viu duas pessoas tão patéticas.

*T*oc toc toc toc toc toc toc toc.

— Calma, Bello! Vai acordar minha mãe.

De pantufas de monstro e vestindo uma folgada camiseta azul-celeste do time da Lazio, Serena abre apenas uma brecha da porta de seu apartamento. Apesar do dedo em riste sobre os lábios, pedindo silêncio, ela ri da minha aparição. Conversamos aos sussurros:

— Serena, aquela mulher está no meu quarto.

— Bravo! Esta noite, você se saiu melhor do que eu.

— Me ajuda!

— Sou uma ragazza de família... não faço essas coisas a três.

— Não seja cretina.

— Bom, pelo visto não precisa de mim...

Ela tenta fechar a porta e a impeço colocando meu pé na brecha de abertura. Respiro fundo, ergo as palmas das mãos e tento soar mais calmo.

— Desculpa, desculpa.

— Me desculpe também. Você sabe bem que já fiz a três.

— E agora, Serena? Essa mulher. Thelma. No meu quarto. O que eu faço?

— Há quanto tempo você não faz amor?

Perguntas diretas sempre me chocam. Apesar disso, a resposta está na ponta da língua. Acho que todo mundo sabe exatamente há quanto tempo está sem fazer sexo. Mas, constrangido, demoro um pouco a dizer, fingindo que calculo. Penso nas poucas mulheres que passaram pela minha vida depois que Alice se foi. Casos mecânicos, trocas de carências quase mais solitárias do que a própria solidão. Nunca me senti livre para isso. Espécie de traição marital consentida legalmente.

— Quinze anos.

— A idade que eu tinha quando fiz pela primeira vez. Che bello.

— Como faço pra essa mulher sair do meu quarto?

— Simples... faça amor com ela. Talvez ela durma com você depois. Mas em algum momento, tenha certeza, ela irá embora. Ou porque terá que voltar ao seu país, ou porque você está pagando o quarto para apenas uma pessoa. Minha mãe não gostará de saber que está sendo enganada.

— Tudo é piada para ti?

— Inquilino clandestino é coisa séria.

— É absurdo que eu seja obrigado a fazer sexo com uma pessoa.

— Na verdade, ninguém está lhe obrigando a nada. Só dei uma sugestão. Se pedir para ela ir embora, ela provavelmente irá. Mas calma... faça assim, respire fundo.

Ela inspira e assopra, erguendo e baixando os ombros, me induzindo a fazer o mesmo. Repetimos isso algumas vezes e sinto meus batimentos cardíacos normalizarem. Dou um passo para trás, tirando o pé da porta, e imito Serena enquanto ela faz movimentos circulares com o pescoço, relaxando os músculos. Ficamos assim, um diante do outro, fazendo leves exercícios pelo que parece ser um longo minuto. Então, ela estica as mãos, afrouxa minha gravata, abre o botão do meu colarinho e sorri. É quando pede que eu espere um pouco e me dá as costas, entrando no apartamento e sumindo na escuridão. Fico sozinho e um pouco menos aflito, mãos entrelaçadas sobre a barriga, como em oração. Os segundos passam e fico pensando em Thelma, sozinha no meu quarto. Me sinto o pior dos homens. Eis a última recordação que a americana levará da Itália: a fuga de um velho assustado.

Então, Serena retorna.

— Estenda as mãos.

Obedeço. Em uma das minhas mãos, ela coloca sua garrafa de vinho sem rótulo, cheia, e pede que eu beba um gole. De pronto, viro uma boa dose de tinto. Sinto o líquido amadeirado e seco, com surpreendentes notas picantes, adentrar em mim. E tenho a impressão de que minha circulação se ativa com a bebida inesperadamente apimentada.

Na outra mão, Serena coloca uma pequena pílula azul. Assustado, digo que não posso fazer isso, ainda mais depois de tanta bebida energética. "Sou cardíaco", balbucio. Mas a filha de minha senhoria, impassível, ordena que eu engula de uma vez. Sem plano melhor, acato a ordem. E tomo o remédio em seco, como quem já tem bastante prática na manobra. Mais uma pílula, menos uma, a essa altura, que diferença faz?

— Agora, preste atenção, Bello... quando eu fechar a porta, você vai voltar ao seu quarto. Leve a garrafa. E não esqueça: vocês são livres.

Aquiesço com um meneio de cabeça. E, instintivamente, dou mais um passo para trás. Serena me encara erguendo o queixo de leve, em pé do lado de dentro do apartamento. Sem tirar os olhos dos meus, minha professora de italiano cruza os braços à altura da cintura e apanha a barra de sua camiseta com os dedos. Então, ela sobe as mãos devagar e o tecido azul-claro desliza pelo seu tórax. Assim que o movimento começa, percebo que ela não veste calcinha e, petrificado em meu lugar, vejo pelos escuros e macios cobrirem uma pequena área da parte mais branca de toda a sua pele. Como quem há muito tempo não vê o sol nascer, observo com enlevo esta área tão íntima de seu corpo, e quando seu profundo umbigo surge um pouco acima, noto que o deslizar da blusa sofre um brevíssimo bloqueio. É o início de seu busto, que impede a subida do tecido por um átimo de segundo. Mas Serena prossegue e seus seios praticamente saltam, com um leve tremor ao se verem livres diante de mim. Ela ergue os braços, seu rosto some por um momento sob a camiseta e, quando esta finalmente é retirada por sobre a cabeça, seu monumental cabelo castanho parece ganhar vida, correndo como um rio por pescoço, ombros e braços. Ela fica parada por um instante e só aí percebe, olhando para baixo, que ainda está de pantufas. Serena ri e até eu sorrio, de olhos arregalados, quando ela se curva, erguendo um pé por vez para retirar os calçados de pelúcia. Agora sim. Ela parece muito satisfeita quando, enfim, está nua.

A sensação que tenho é de não estar aqui. Sequer existo. Só Serena é real. Ficamos os dois em silêncio, na penumbra do corredor, e não consigo desviar o olhar nem dizer nada. Como quem, diante do belo, não vê outra alternativa senão contemplar. Penso na Vênus de Botticelli, com sua barriga saliente, braços e pernas tortas, cabelos desalinhados, formas perfeitas justamente graças às imperfeições. Reparo em uma grande cicatriz no abdômen de Serena, provável resquício de apendicite, e até isso tem o seu quê de beleza e mistério. Seu corpo é uma sincera biografia, pleno de marcas e histórias, gravadas em seus quadris largos, coxas grossas, braços roliços e bochechas salientes. Como as musas de todas as eras do cinema italiano, ela é feita para preencher telas enormes. Serena é Loren, Cardinale, Lollobri...

E a porta se fecha.

— Pode me passar o queijo, por favor?
— Aqui está. Que achou do café?
— Nada mal, Bello.
— Que bom, Serena. Mas, sem querer ser rude, desde que tu chegaste me pergunto como sabias que eu estava sozinho.
— Da janela do meu quarto, ouvi seu assovio feliz. Considerei a música um sinal de que sua amiga já havia partido. Então, vim ver como você estava.

Sentados na cama, com pão tipo focaccia, queijo pecorino e salame toscano sobre uma bandeja, Serena e eu, cada um com uma xícara em mãos, dividimos um café da manhã tardio. Era quase meio-dia quando ela bateu à porta trazendo um pote de vidro e se convidando para este singelo brunch. Assim que entrou, sentou e se serviu. E até agora não fez perguntas. Já faz alguns minutos que estamos assim: ambos de pijamas, comendo na nuvem e envoltos pelo perfume do alecrim que tempera o pão.

— O que é o creme que trouxeste nesse vidro, Serena?
— Lardo. Para passar na focaccia.
— E o que é lardo?
— Antes, me diga... para que servem esses remédios que você acabou de engolir?
— Colesterol.

— Então, esqueça.

Insisto em saber e ela explica que lardo é uma pasta feita a partir da gordura existente sob a pele dos porcos, adicionada de especiarias de acordo com os ancestrais segredos de cada produtor. A verdadeira banha italiana. Serena passa o creme em sua focaccia como se fosse manteiga e estendo meu pão para ela passar um bocado sobre minha fatia também. Dou uma mordida e gemo de olhos fechados. Ao que parece, lardo transforma qualquer alimento em algo gordurosamente celestial. Ou mortal, no meu caso.

— Então, Bello... como foi com a americana?

— Não é da tua conta.

— Se não é da minha conta, por que não apagou a mensagem escrita com batom no espelho do banheiro? Posso ler daqui, você sequer fechou a porta... BRAVO MARCELLO, com direito a coração ao redor.

Ela faz uma voz forçosamente lânguida, imitando o sotaque da americana, enquanto lê o recado. Ao que, ríspido, respondo:

— Esqueci de limpar.

— Você queria que eu visse.

— Quem sabe? Assim, talvez se desse por satisfeita e não fizesse perguntas.

A luz deste início de tarde, vinda da janela, cria uma aura dourada ao redor do cabelo de Serena. O primeiro domingo de fevereiro se apresenta excepcionalmente agradável, quase primaveril. E nós aqui, fechados no quarto, imersos no prazer de um café italiano recém-passado.

— Sua esposa morreu do quê?

A pergunta súbita me faz engasgar. Serena apenas mastiga seu pão.

— Tu não tens um assunto mais leve para o domingo?

— Prefere hoje, falando português, ou amanhã, na aula de italiano?
— Câncer.
— Qual?
— Pulmão.

Longo silêncio, enquanto Serena come e se serve de mais café. Fico incomodado pelo súbito desinteresse no assunto proposto por ela mesma.

— Não vai perguntar se Alice fumava? É o que sempre perguntam.
— Alice...

Aguardo algum comentário infame sobre anchovas. Mas ela só diz:

— ... belo nome.
— Também acho. E não, ela não fumava.
— E depois de Alice, Bello? Me fale das outras.
— Não casei novamente.
— Não perguntei se casou.
— Bom... tive alguns... casos. Não sei se posso chamar de namoradas.
— Chame de affaire. Combina com um sósia de Mastroianni. E que bom que você fazia amor de vez em quando.
— Acho que "fazer amor" não se aplica a essas histórias. Nem à última noite, com a americana. Amor mesmo, só com minha esposa.
— Talvez o problema seja você, que não sabe fazer amor. Ou talvez o problema seja eu, que nunca fiz amor com Alice.

Pasmo com o comentário, tento levar o assunto para outro lado:

— Nossa lua de mel foi aqui na Itália, sabe? Quarenta e um anos atrás. E Roma foi a cidade onde passamos mais tempo, a primeira parada. Depois, seguimos para Florença, Bolonha, Pádua e Veneza, de onde voltamos ao

Brasil. Devo dizer que foram os vinte e um dias mais felizes de minha vida, especialmente os primeiros. Aqui, não perdemos um único pôr do sol e o clima sempre esteve a nosso favor. No restante da viagem, choveu bastante, mas também foi inesquecível. Guardo cada um daqueles dias como o maior tesouro de minha vida. Só que, com o passar dos anos, ainda mais depois que fui obrigado a me aposentar, a memória foi fraquejando... até eu esquecer como era o rosto de Alice. Entenda... no meu tempo, não se tiravam tantas fotos como hoje e só me restou aquela que te mostrei. Então, vim a Roma passar o resto dos meus dias, relembrar momentos felizes, evitar de ser um fardo para quem se importa comigo e morrer em paz. Também imaginei rever a imagem de minha esposa nos lugares onde estivemos... no início, não deu certo. Até que vi Ambra na tevê e agora vejo Alice em toda parte. Não é maravilhoso?

— Achei macabro.

— Pois eu acho romântico. Romantismo nunca é demais, Serena.

— Depende. Os maiores românticos costumam se apegar demais à morte. Morrer por amor, matar por amor, amor que segue após a morte... veja Dante: escreveu *A divina comédia*, que se passa inteira no reino dos mortos, indo do inferno ao céu, por pura obsessão. Era fixado em uma garota chamada Beatrice, você deve saber disso. Uma menina que, na vida real, jamais retribuiu o seu amor. Inclusive, casou com outro, morrendo pouco tempo depois, aos vinte e poucos anos. Dante a conheceu quando ambos eram crianças e ele viveu até quase sessenta. Ou seja: passou toda a vida adulta remoendo um amor mórbido. E o mundo acha lindo. Mas de Gemma, ninguém fala.

— Gemma?

— Esposa de Dante, com quem teve vários filhos. Não é estranho que nunca se fale dela? Para a história, ficou só o ponto de vista dele. Dante fez muitos inimigos ao longo da vida e colocou cada um deles nos círculos do inferno em sua obra, citando-os nominalmente. Enquanto Beatrice, ele situou no paraíso, apenas aguardando a gloriosa chegada dele, o poeta-herói. Ninguém nunca pensou que talvez Dante fosse um chato e que Beatrice não o suportasse? *A divina comédia* sempre me pareceu um grande tributo ao recalque.

— Estou estupefato... uma das maiores obras-primas da literatura mundial, sendo renegada justamente por uma italiana.

— Não estou renegando, apenas sugiro um novo ponto de vista. Chato ou não, Dante não deixa de ser genial. Quem dera todo rancor virasse soneto.

— Talvez tu sejas rancorosa por não teres encontrado um amor assim.

Ela apenas sorri, condescendente, e começa a cortar um salame. Não sei por quê, isso me irrita. E não deixo o assunto acabar assim:

— Não tenho culpa se tive sorte, Serena. Mas tu vais encontrar alguém, não te preocupes. Todo mundo tem um par.

— Decida-se: é pra contar com a sorte ou todo mundo tem um par?

— Deixa pra lá... Beatrice era perfeita para Dante assim como Alice era perfeita para mim. E nunca haverá outra como ela.

— Uau. Diga uma coisa, por quanto tempo vocês conviveram?

— Sete anos.

— E Alice não tinha nenhum defeito?

— Não recordo nenhum.

— Isso acontece muito, dos mortos virarem santos. Talvez você seja como Dante, obcecado por uma idealização. Será que nesses poucos anos deu tempo para descobrir todos os...

— Chega, Serena. Deixa os mortos em paz.

— Perguntar o que houve com sua filha, então, nem pensar?

Sinto o sangue ferver. Mas, apesar da raiva, minha voz sai fraca:

— Por que faz isso, menina?

— Isso o quê?

— Me ridicularizar.

Ela desfaz o sorriso. Então, pousa a mão em minha perna, apertando de leve. Sinto um calor estranho. Quando alguém decide tocar em um velho, no máximo tenta o ombro.

— Desculpe, Bello... falei demais. Caso eu morra subitamente, nunca se esqueça desse defeito meu: costumo me deixar levar pelo sarcasmo e não percebo que isso pode magoar as pessoas. Aí, quando já é tarde demais, lembro de uma frase que ouvi uma vez em um filme: se não tiver nada de bom a dizer, não diga nada.

— Filme italiano? Gostaria de assistir.

— Americano. Se chama *Bambi*. Posso conseguir para você, dublado em italiano.

Me rendo em um sorriso. É impossível imaginar essa menina morrendo subitamente. Ela é o tipo de pessoa que a gente tem certeza de que vai viver para sempre.

— Tudo bem, Serena. O problema talvez seja eu, que estou velho demais para novos pontos de vista. Aliás, velho demais e ponto. Às vezes me pergunto o que há contigo, ainda mais com esse sol lá fora. Impossível não haver em Roma companhia melhor do que eu.

— Há duas pessoas nesse quarto, Bello. A primeira, fez amor há poucas horas, ganhou recado com batom e experimentou lardo pela primeira vez. A segunda, apenas magoou um amigo.

— Existe alguém que fique irritado contigo por mais de cinco minutos?

— Acho que a pichação SERENA ZOCCOLA, na fachada do palazzo, responde a pergunta.

— Se quer saber, não acho que tu sejas uma zoccola.

— Grazie... mas de qualquer forma, é só uma palavra. O problema é o sentimento de quem escreve. Ou de quem lê.

— Como *A divina comédia*.

Ela abre um grande sorriso. Sem tons de violeta, mas perfumado de café.

— Ser feliz combina com você, Bello. Devia praticar mais. No Brasil, vocês têm uma expressão que é uma de minhas favoritas: não ter medo de ser feliz. Costumo usá-la, mas italianos não entendem por que alguém teria paura di essere felice, por mais que se veja tanto disso por aí.

— Nem todos têm a sorte de ser Felice até no nome.

— E nem todos têm a habilidade de assoviar bonito assim, como você essa manhã, depois de fazer amor.

É engraçado como "fazer amor" não soa cafona quando os italianos dizem. Mas ouvir tantas vezes essa expressão me obriga a fazer o comentário que tanto evitei desde que iniciamos este café da manhã.

— A verdade é que isso só aconteceu graças ao remedinho que tu me deste... aquilo foi perigoso, Serena. Podia ter me matado do coração.

Minha professora de italiano toma mais um gole de café e lambe os dedos melados de lardo. Então, tira do bolso da calça do pijama uma caixinha transparente, cheia de pílulas azuis. Dá uma leve chacoalhada nelas, fazendo tchac tchac tchac. E põe a caixinha em minha mão, dizendo:

— Foi isso que eu lhe dei. Pode ficar. Cada uma tem apenas duas calorias.

São balas Tic Tac.

Decido fazer uma boa faxina. Quando ouviu essa ideia, horas atrás, Serena prontamente se mandou, prometendo grandes novidades para a aula de amanhã. Munido de água sanitária, vassoura e esfregão, passo a tarde a limpar os vestígios do meteórico mês que passou. Concentrado na tarefa, mal percebo escurecer lá fora, o anoitecer apressado do inverno. E só quando o quarto fica completamente limpo, me permito recordar o desajeitado e afetuoso sexo da madrugada.

Ajeito os óculos e, ao fazer isso, não resisto: cheiro meus dedos. Mais do que nunca, me sinto como Marcello Mastroianni. Lembro da cena de *Gabriela, cravo e canela*, sua única participação em um filme brasileiro. O momento em que, no papel de Turco Nassib, o ator italiano se põe a cheirar os dedos, evocando os momentos vividos com a personagem de Sônia Braga. Sozinho no quarto, sinto o perfume de Thelma Adams e dou uma risada lembrando da desvairada e decidida americana. Que, na última noite de viagem, conseguiu realizar sua mais íntima fantasia. Me sinto especial, perdoando a mim mesmo pela pieguice. É a primeira vez, em muitos anos, que faço parte de algo belo.

— E por que a Itália, Bello?
— Teu país não significava nada pra mim, até o dia em que vi Alice na rua, indo para um curso de italiano. Ela sempre amou a Itália e tudo o que fosse relacionado. En-

tão, decidi que o que interessasse àquela menina, me interessaria também. Simples assim.

Quando a lua se apresenta à janela, resolvo abrir um vinho branco em homenagem ao dia ameno. Lembro o final da conversa com Serena, pouco antes dela partir e a faxina começar. Quando eu disse "simples assim", ela disse "gosto de simples assim". E me motivei a continuar:

— Juntos, costumávamos assistir filmes italianos. Tanto para namorar, quanto para praticar o que aprendíamos no curso de línguas. De preferência, histórias de amor. Ainda mais se fossem com Mastroianni... Alice era apaixonada por ele.

— Ao que parece, não é de hoje que você usa a sua semelhança com ele para seduzir mulheres.

— Pois fique sabendo, Serena, que nosso primeiro beijo aconteceu durante a sessão de um filme em que Mastroianni não atua. Era uma reprise de *O candelabro italiano*.

— Nunca assisti... *Il candeliere italiano*? Nome esquisito.

— Não é italiano, é americano. *Rome adventure*, no original, se não me engano... mas por aqui deve ter tido outro nome. No Brasil, foi um fenômeno de bilheteria, mas hoje ninguém lembra desse filme. Produzido na esteira do sucesso mundial de *La dolce vita*, era a história de uma americana que larga tudo para morar em Roma, em busca do amor. Foi o *Comer, rezar, amar* dos anos 60. E tinha certa cena, inesquecível, com uma música chamada *Al di là*... foi ao som dela que nos beijamos pela primeira vez. Faça um favor a si mesma: assista essa cena nessa tua internet hora dessas. É um filme bobo, mas a música é irresistível.

— Não esquecerei disso, Bello.

— Enfim... para acompanhar Alice, passei a ser um caçador de filmes italianos, dos lançamentos às reprises. O cinema de Visconti, Rossellini, De Sica, Scola, Fellini, Monicelli...

até do lunático do Pasolini. Não perdíamos um, tanto nos cinemas quanto em pequenas salas especializadas ou clubes de vídeo. Daí, o sonho de vir para a Itália. Por isso, quando casamos, foi apenas no civil, uma cerimônia rápida e simples. Nossos pais já haviam falecido, as famílias eram pequenas e achamos que nosso dinheiro seria melhor investido em uma lua de mel aqui. Então, unindo nossas economias, viemos no verão de 1976. Os melhores dias de minha vida...

— Você é bem repetitivo quanto a isso.

— Voltamos daquelas três semanas sempre prometendo que um dia repetiríamos a viagem, refazendo todo o percurso. Mas o câncer nos encontrou antes. Por isso, quando Alice ficou doente a ponto de não sair mais da cama, eu ia ao cinema sozinho ou assistia reprises na televisão só para lhe contar as histórias dos filmes que ela não podia mais ver. Não havia videocassete, muito menos a opção de gravar um DVD, como você fez para mim.

— E depois que ela faleceu?

— Segui em frente, como todo mundo. Alice se foi, mas o hábito ficou. Acho que sou a única pessoa que assistiu toda a filmografia de Mastroianni. E, nas últimas décadas, não houve uma única semana em que eu não tenha assistido a pelo menos um filme italiano.

— Qual o seu favorito, Bello?

— Nossa, são tantos... acho que fico entre *Um dia muito especial*, de Ettore Scola, com Mastroianni e Sophia Loren, um filme que sempre me dá o que pensar... e *Morte em Veneza*, de Luchino Visconti.

— Madonna mia! *Morte em Veneza* é chatíssimo.

— É uma obra-prima, Serena.

— Mas é baseado em um livro alemão, os protagonistas não são italianos e Mastroianni também não está no elenco. Como pode ser o seu favorito?

— É que foi o último que narrei para Alice, no hospital. Estávamos a sós no quarto, em um final de tarde de um dia particularmente difícil para ela. Passamos o tempo todo de mãos dadas. Ela, na cama. Eu, em uma cadeira ao seu lado. Contei a história do filme em todos os seus pormenores, enquanto ela suspirava e sorria, me motivando a continuar. Quando terminei de descrever a cena final, Alice estava voltada para mim, de olhos bem abertos. Tive de fechá-los. Foi... lindo.

— Eu já disse o quanto você é macabro?
— Já. Tu és bem repetitiva também.
— Por que demorou tanto para voltar a Roma?
— Clara.
— Sua filha?
— Sim.
— Como ela morreu?
— Não diga uma coisa dessas, Serena... nem brincando.
— Ela não morreu? Mas você disse...
— Eu nunca disse uma coisa dessas!
— Você disse que a perdeu.
— É... é verdade.

Sinto o perfume do vinho branco, levemente adocicado e frisante, assaltar minhas narinas. Lambrusco... tento guardar o nome. E isso me lembra do sorriso de satisfação de Serena ao recolher a garrafa que me deu para beber com Thelma Adams, aquele tinto estranhamente apimentado. Ao ver que estava vazia, meneou a cabeça positivamente.

O despertador de meu celular toca avisando que é hora dos remédios da noite. Mas resolvo ignorar o aviso. Por hoje, chega de pílulas. Desligo o alarme e resolvo utilizar o aparelho para o que ele realmente serve: ouvir o último registro que tenho de Clara.

Alô, pai? Só queria saber se tá tudo bem. Pelo visto ainda não se acostumou a andar com o celular. O senhor não muda, né? Bom, tento ligar de novo outra hora. Não tenho como deixar número pra contato, o senhor sabe. Hoje estou em Buenos Aires. Embarco pra Lima amanhã e... bom... um beijo, então.

— Fico feliz por sua filha estar viva, Bello. Me conte sobre ela.

— Antes, é hora de fazer uma boa faxina nesse quarto.

Termino o vinho e me sinto sonolento. É o corpo cobrando o preço do inusitado exercício da madrugada e da longa tarde de limpeza. Fecho as janelas, apago a luz e me deito. De olhos fechados, deixo o show de Ambra acontecer em minha mente, sem precisar da programação da tevê ou do DVD que não funciona. Quando ela começa a cantar, meus olhos pesam e me deixo embalar por sua animada canção. Sem saber se ainda estou acordado, rio sozinho. Porque reparo que Ambra tem o mesmo jeito tolo e desengonçado de dançar que tu tinhas, meu amor. Até nisso vocês se parecem... é, tu dançavas muito mal, Alice. Nunca te contei, mas quando íamos a alguma festa, teu modo de se requebrar sempre me constrangia. Tu te chateias com isso?

Façamos um trato: não conto para Serena que encontrei um defeito teu. E tu finges que não vês as coisas que ando fazendo em Roma.

— *C*iao, Bello! Pronto para o módulo dois?

Segurando a porta aberta, ignoro a pergunta de Serena e, de maneira acintosa, observo os ponteiros do papa alemão na parede. Minha professora está quase uma hora atrasada para a primeira aula de fevereiro e chega tão animada que até esquece de falar em italiano. Um início nada promissor para o segundo nível do curso. Ainda assim, ela prossegue:

— Pronto ou não, preste atenção: o objetivo deste mês é encontrar Ambra.

— Como assim?

Serena passa por mim e entra. De vestido verde, com um cinto branco demarcando a cintura, parece uma fada. Fecho a porta e puxo minha solitária cadeira. Quando sento, ela já está bem instalada na cama.

— Uma ideia que tive no fim de semana, decidi contar só hoje. Estava pesquisando a respeito, por isso me atrasei. Ainda não descobri muita coisa mas, com calma, encontraremos tudo o que precisamos.

Ela me mostra seu celular e me estico para pegá-lo. Um texto em italiano estampa a tela, tirado da página virtual do jornal Corriere della Sera. Ajeitando os óculos, reparo que a matéria é ilustrada por diversas fotos de Ambra Angiolini. A Ambra de hoje em dia, uma mulher com expressão séria, olhar de intensa dignidade, com os cabelos alisados e sem os balançantes cachos caindo nos ombros. Em nada lembra a adolescente apresentadora de tevê, que se atrapalhava com os nomes dos telespectadores durante as brincadeiras ou que se perdia ao cantar a própria música em playback. Ainda assim, muito bonita.

— Que tal, Bello?

— Pega o teu celular, Serena... e vamos começar logo a aula de hoje.

— Nada disso. Leia a entrevista. Esse é o primeiro exercício.

— Se encontrar com Ambra é o exame deste mês, tenho medo do que vais inventar em março.

Serena sorri. E, pelo sorriso limpo, vejo que, por incrível que pareça, está sóbria. E isso me lembra de uma pergunta que havia passado batida ontem, que uso para mudar de assunto:

— Afinal, que vinho era aquele que tu me deste na noite em que... bem...

— Em que fez amor com a americana?

— Isso.

— Gostou?

— Gostei. Era diferente... apimentado.

— Que bom que percebeu. Eu mesma fiz. Vai bem com chocolate.

— Como assim, tu fizeste?

— Pisei as uvas com meus próprios pés... não me olhe assim. Todos os dias, bebemos vinhos pisados por pés que nunca vimos. Você é um privilegiado, Bello.

— Hoje em dia os vinhos não são mais pisados, o processo é todo mecanizado. No fim das contas, tu também és uma romântica. Onde foi produzido esse teu higiênico vinho?

— Luigi, da azienda onde enchemos nossas garrafas, produz o próprio vinho em uma pequena vinícola nos arredores de Roma. Cerca de um ano atrás, ele me convidou para um passeio, uma tarde aprendendo a fazer vinhos. Desde então, há um barril com o meu nome nos fundos da loja, que só eu tenho acesso. Eu mesma pisei as vinhas, sabe? E escolhi infusões, acompanhei o armazenamento... foi uma bela jornada, entre vinhedos e cavas.

Luigi, o elegante vendedor de garrafas sem rótulo... lembro muito bem. Por isso, só digo:

— Sei.

— Ciúmes, Bello? Guarde para Ambra. Vamos, leia a matéria!

— Mas essa entrevista é antiga... tem quase dois anos.

— Foi a mais completa que encontrei. De lá para cá, quase tudo é fofoca ou notícias em sites pagos. O auge de Ambra foi nos anos 90. Hoje, acho que você é o único membro do fã clube... mas, como já disse, encontraremos mais.

O italiano é um pouco complicado para o meu nível mas, de modo geral, consigo compreender o texto. Típica entrevista de revista de celebridades: perguntas que devassam a intimidade, respostas melodramáticas, com jornalista e entrevistada cientes de seus papéis. À época, Ambra terminava seu casamento com um fotógrafo famoso, com quem teve dois filhos. Ele, ao que parece, foi flagrado com uma loira misteriosa. Ambra, porém, desdenha da traição, dizendo que vai voltar a se dedicar à carreira, aos projetos. Conta que nasceu em Roma, mas foi adotada por Bréscia, cidade onde vive desde o matrimônio. E de onde não pretende sair, graças às crianças. Uma leoa a cuidar da cria.

— Então?

— Ainda estou lendo, Serena.

— Muito lento. Vai perder pontos na avaliação de hoje.

— Na verdade, estou lendo os comentários que os leitores fazem ao final da entrevista. O público é bem grosseiro com Ambra. Veja esse... "ninguém se importa com você, sua vaca". Traduzi certo?

— Infelizmente, sim. Mas não se preocupe, é assim em todas as notícias na internet. Reparou como Ambra continua bonita? Talvez até mais.

Não consigo fugir do pensamento de que é assim que tu terias ficado se tivesses vivido um pouco mais, meu amor. Mas será que terias adquirido esse semblante tão severo, esse olhar tão melancólico? Desde a primeira vez que vi Ambra e descobri que sua imagem é apenas um eco de décadas atrás, tentei me esquivar dessa comparação. Inclusive, evitando de pedir para Serena mostrar como ela estaria hoje em dia. E agora, cá estou. Passando o dedo nesse rosto aprisionado em uma tela de celular.

— Então? Malas prontas, Bello?
— Hm? Para onde vamos?
— Brescia! Onde mais?

*E*ra uma questão de vida ou morte: ao perceber que sua esposa perdia peso de forma vertiginosa após o parto do primeiro filho, Alfredo Di Lelio pôs, literalmente, a mão na massa. Para salvar a amada, o jovem chef criou um prato altamente calórico: fettuccine al dente coberto com obscenas quantidades de manteiga e queijo grana padano derretidos. A irresistível iguaria logo devolveu cor e viço ao corpo da enferma e caiu nas graças dos clientes do restaurante que a mãe de Di Lelio administrava. Nascia, assim, o Fettuccine all'Alfredo. Mais que uma massa, um milagre romano.

Contente, sinto essa história serpentear dentro da boca, o sabor do molho intensificando minha própria cor e viço. Sim, lembro de quando você me contou tudo isso, aqui nesta mesma mesa, deste exato restaurante da Piazza Augusto Imperatore. Cá estou eu, de volta ao Ristorante Alfredo, local onde o prato nasceu. Na época, Alfredo Di Lelio já não era mais vivo, mas sua criação já havia corrido o mundo desde que o casal Mary Pickford e Douglas Fairbanks, estrelas americanas do cinema mudo, experimentaram o fettuccine e se encantaram. Sabe, não lembro quem eram esses artistas... mas lembro de ti, risonha com o teu almanaque, narrando as histórias do lugar. Enquanto eu, tal qual o molho, me derretia.

— O segredo está em derreter a manteiga sem deixar que ela passe dos oitenta e cinco graus, nem baixar dos setenta e cinco. Porque, se estiver quente demais, o queijo aglutina. Se estiver quente de menos, o molho não atinge a cremosidade ideal. Ah, e o queijo tem que ser ralado na hora, sobre o calor do fettuccine recém-escaldado.

— E depois tu dizes que seguros são complicados, Alice.

— Que tal um tiramisù de sobremesa? Já te contei a história do tiramisù?

— É impressionante o teu apetite. Não sei como tu não ficas gorda.

— Um dia, ficarei. Mas agora é tarde. Estamos juntos na riqueza e na pobreza, na gordura e na magreza.

— Tu que pensas, meu amor. Se perderes essa cinturinha, dou no pé.

— Tua pança não vai te deixar ir muito longe... acha que só eu que vou perder a forma? Teu rostinho de galã não vai durar para sempre, amore mio.

Afago minha barriga estufada. Essa previsão, você acertou. Sorrio sozinho, único solitário no tradicional e movimentado restaurante. Limpo os lábios com o guardanapo, mas o sorriso não se desfaz, graças à recordação de nossas conversas. As provocações, as bobagens de recém-casados. Não importava o assunto, sempre tínhamos o que dizer. Na verdade, não era uma questão de saber, porque não havia consciência. Apenas fluíamos. Leves, soltos. Nada era planejado, e tudo funcionava.

— Mas tu sabes exatamente onde Ambra mora, Serena?

— Descobriremos. Brescia é muito menor do que Roma.

— E o que teríamos para dizer a ela quando a encontrássemos?

— Sua história.

— Bom, teremos que contar duas vezes então. A segunda, para a polícia. Que ela certamente irá chamar quando se deparar com dois lunáticos à porta.

Seco o suor da testa com um lenço e largo o garfo ao lado do prato. Apesar de delicioso, não conseguirei terminar o fettuccine. Sinto um mal-estar crescente nos últimos dias e meu corpo parece manter um complô com meus médicos: cada dor, um chamado à obediência da dieta. Danem-se! Bebo mais um gole do Chianti sugerido pelo maître e lembro daquele filme francês, do início dos anos 70, no qual Mastroianni e quatro amigos, cansados de viver, se trancam em uma mansão com o intuito de comer e beber até morrer. *La grande bouffe*, *A grande comilança*. Rio da ideia e a risada dói. Será que aguento um tiramisù de sobremesa? No fim das contas, tu nunca contaste a história dele.

— O que é isso?

— Ceviche.

— Mas... está cru, filha.

— Isso mesmo, pai. Peixe cru marinado no limão, com cebola roxa, pimenta vermelha, sal e coentro fresco.

— Tu só podes estar louca, Clara.

— É o prato mais tradicional do Peru. Experimente!

— Mas... e esse líquido esbranquiçado? É asqueroso. Limonada de peixe.

— Os peruanos chamam de Leite de Tigre. Levanta até defunto.

— Deveríamos regar o túmulo da tua mãe com isso.

Peço a conta. Por que nunca consegui conversar com nossa filha, Alice? Até quando tentava fazer uma piada, saía algo grotesco. Por isso, ainda acho que fiz bem me afastando, deixando Clara livre para fazer e ser tudo o que desejasse, saindo de cena antes de me tornar um fardo para ela. Mas, por mais que diga isso a mim mesmo todos os dias, por que nunca me convenço por completo? Se ainda mantenho alguma esperança no catolicismo, é porque quero acreditar que um dia vou te reencontrar aí no céu, dona Alice Mandelli Bevilacqua. Aí tu vais me explicar por que nossa filha saiu tão diferente de nós.

— Ambra não irá chamar polícia nenhuma. Vai adorar a sua história, Bello.

— Não foi para isso que vim à Itália.

— E foi para quê? Ficar no quarto?

— Precisamente.

— Estarei ao seu lado o tempo todo, faremos essa jornada juntos.

— Tu não tens coisa melhor para fazer, Serena?

— Melhor do que viajar com todas as despesas pagas pelo meu aluno e conhecer uma pop star dos anos 90? Não.

Entre gentil e preocupada, a recepcionista do restaurante chama um táxi para mim. Assim que o carro chega, desabo no banco traseiro do veículo. Nada de tiramisù ou caminhadas esta noite, é preciso saber a hora de parar. Ao chegar ao meu quarto, vou deitar na nuvem e apagar. Ouço minha barriga gemer e concordar com o plano. Nesta madrugada, seremos apenas eu e minha digestão. Nada de Ambra. Penso nisso e quase sinto remorso.

— O problema é que... tenho medo, Serena.

— Va bene, Bello. Ao menos, isso foi sincero. Não vou insistir, fique tranquilo. Façamos assim: quando mudar de ideia, interfone. Até lá, você está de férias do curso. Divirta-se.

*N*unca me canso de ficar estupefato com esse relógio de parede. Imagino que Sonia Felice, proprietária do imóvel e de tudo o que tem dentro, seja tão excêntrica quanto a filha. Que cristão compraria uma peça decorativa com o rosto de Joseph Ratzinger? O homem que largou o posto de papa, mera sombra entre os papados de João Paulo II e Francisco I, dois dos pontífices mais carismáticos de todos os tempos. Apesar deste não ter sido o único caso de desistência papal da história, raros foram os que abdicaram da incumbência divina. O mais incrível é que, ao que tudo indica, o alemão caiu fora por estar, simplesmente, de saco cheio. Um belo dia, Bento XVI fez a mala papal e levou sua carranca para o isolamento. Pensando bem, até que cai bem em minha parede.

O que não cai bem é o horário que os ponteiros marcam: quatro e meia da tarde. E nada de Serena. Desde segunda-feira, quando propôs a absurda ideia de viajar à procura de Ambra, não apareceu mais. Isso já faz três dias, nos quais a vi apenas pela janela, rumo às suas aventuras noturnas. Me olho no espelho do banheiro e tento entender que sensação é essa que sua ausência me causa. Nunca fui de estranhar o tédio. Mas agora me flagro com essa imensa vontade de interfonar para o apartamento das Felice. Ridículo! Aos setenta e dois anos, já deveria estar mais do que acostumado à monotonia. Normal é o agora, não as sandices do último mês. Ao que parece, neste fevereiro, tudo voltará aos seus devidos lugares: Serena na rua, livre, e eu aqui, aguardando a hora do próximo remédio. A César o que é de César.

Falando nisso, o velho celular desperta. Abro minha caixa de pílulas dentro da mala, que nunca desfiz totalmente. Lembro do incidente no aeroporto Fiumicino, na chegada a Roma, quando tive que dar satisfações por estar portando tantos remédios. Desinteressados fiscais de alfândega pedindo papéis a um idoso com a bagagem repleta de drogas legais. Houve um momento, enquanto analisavam minhas receitas médicas, em que um longo suspiro me escapou. Eles me olharam, se olharam entre si, e me deixaram passar. Perceberam que não valho o fôlego do cão farejador. E se fossem pílulas de ecstasy? Bom... nesse caso, talvez Serena estivesse aqui.

— O que significa isso?!

— Não acredito que tu mexeu nas minhas coisas, pai!

— Isso é maconha, Clara!

— Não! É um cigarro de palha! Está meio esquisito porque eu mesma fechei... é, ficou meio torto.

— Minha filha... eu não sei mais o que fazer contigo! Uma menina tão bonita, tão inteligente... por quê?

— Se fosse feia e burra, poderia fumar?

— Não distorça as minhas palavras! Por que tu... ao menos... não fumas cigarros normais?

— Digamos que eu apareça com um cigarro de maconha, só que normal. Digo, industrializado, com filtro e tudo. Aí, poderia?

— Mas tu disseste que esse aqui não é de maconha!

— Não tô falando desse. Tô falando de um cigarro hipotético.

— Não me enrole, Clara. Eu conheço essas coisas.
— Conhece?
— Não preciso experimentar para saber que é ruim.
— Bom, essa retórica não valeu pro ceviche. Lembra? Fez cara feia na hora de experimentar, mas depois repetiu o prato.

Rio sozinho, sentado em minha cama. Tanto policiei a adolescência de nossa filha e agora cá estou, dependente de drogas para viver. Um raio de sol trespassa o quarto, como uma aparição divina. O dia parece agradável lá fora, entre sons de bicicletas e lambretas. Súbito, me dou conta de que não tenho vinho para esta noite e decido me mexer. Uma caminhada até a azienda do signor Luigi me fará bem. Também comprar pão e salame. Lardo, quem sabe? Ainda faltam quase nove horas para Ambra.

Visto um paletó leve, bege como minha calça de sarja. Ponho o velho chapéu, ajeito os óculos com o indicador e saio. Ao chegar às escadas, sinto um leve desequilíbrio, as pernas um pouco bambas. Então, me agarro às paredes, descendo degrau por degrau com vagarosa prudência. Passo mais devagar do que o necessário pelo segundo pavimento, tossindo com a óbvia intenção de chamar a atenção de Serena. Mas ninguém aparece. Lembro que os dias de inverno mais severos já passaram e, à medida em que a primavera se aproxima, é normal que cruze cada vez menos por ela. Lá fora, existem infinitas coisas mais interessantes do que eu. Ainda mais em dia de sol. É nisso que penso quando, enfim, chego à saída do edifício, ofegante e suando frio.

Respiro fundo, estranhando o mal-estar. Sinto minhas mãos trêmulas e tenho um pouco de dificuldade para girar a maçaneta. Quando a porta do edifício se abre, o brilho da rua me cega. Um clarão branco, que parece atravessar meu corpo.

— Dai, vecchio!

Um vulto do lado de fora chama por um velho. Só pode ser eu. Tento focar a visão na direção da voz que me interpela e ponho uma das mãos sobre a testa, fazendo sombra para os meus olhos. Percebo um homem contra a luz, segurando alguma coisa diante de si. E ele parece furioso ao gritar:

— Mascalzone!

Então, tudo fica gelado.

*N*ão tenho corpo. Sou apenas consciência, flutuando no vazio. Vinda de muito, muito longe, escuto uma voz feminina me chamar. "Signor Bevilacqua... Signor Bevilacqua...", ela repete várias vezes, com eco. Apesar do seu tom de urgência, me sinto enlevado, como em um sonho. E penso na palavra "mascalzone", que há anos eu não ouvia... sempre achei engraçado esse termo, recorrente em filmes italianos antigos, quando a mocinha xinga o vilão, ou até o mocinho, por conta de algum mal-entendido... canalha, em italiano, sempre me fez pensar em comida. Soa como uma boa massa rechea...

PAF!

— Ei!

— Mi dispiace, signor Bevilacqua.

Afago minha face e sinto a bochecha quente. Diante de mim, vejo Sonia Felice, sentada em uma cadeira de escritório, segurando um copo d'água e pedindo desculpas. O tabefe me devolve à realidade como um... banho frio. Por que estou molhado? Por que estou deitado? Que quarto é esse? Pergunto tudo isso de uma vez, em gesticulante italiano. A senhoria, com meu chapéu e paletó dobrado sobre suas pernas, parece surpresa com minha desenvoltura em sua língua quando responde:

— Si trova nel mio appartamento, signore. Questa è la camera della sua amica.

— La mia amica?

— Mia figlia.

Silenciamos. Ela mantém sua expressão indecifrável: amistosa, mas sem sorrir. Sinto minha face corar quando a discreta senhora Felice faz alusão à minha amizade com sua filha. Em um flash, recapitulo mentalmente os acontecimentos desde minha chegada a Roma. Nem que fosse o mais talentoso dos atuários poderia prever as situações de risco em que andei me metendo. Confuso, tento me levantar, mas Sonia me impede. E, com a mão em meu braço, diz:

— Deve riposare.

Me recosto de novo, rendido. Minha senhoria estende para mim o copo com água, contando que desmaiei diante do prédio. Segundo o seu relato, talvez eu tenha sofrido uma crise de pressão alta. Ou baixa. Não é enfermeira, não sabe dizer ao certo, mas imagina que a roupa molhada não me fará bem. Então, ela diz que vai ao meu quarto buscar uma muda de roupas secas e pede que eu não me mova, que descanse. Assim, Sonia levanta e parte, me deixando sozinho e atônito no quarto de Serena, deitado em sua estreita cama de solteiro.

Bebendo a água, olho ao redor e reparo que a única janela fica voltada para o prédio em frente, provavelmente abaixo de minha própria janela. Também vejo uma escrivaninha com um laptop, daqueles com uma maçã branca, e a cadeira de escritório preta, com espaldar alto, onde Sonia Felice estava sentada. Em uma das paredes brancas, há um armário de portas espelhadas com o brasão alado da Lazio, amarelo e azul-celeste, adesivado em uma delas. Em outra parede, próximo ao pé da cama, há um antigo cofre, maciço e vertical, como o que Mastroianni e seus amigos tentam arrombar na comédia *Os eternos desconhecidos*. Serena o utiliza como uma estilosa estante e, com sua porta aberta, daqui posso ver as lombadas de seus livros. Ajeito os óculos com a ponta do dedo e leio nomes conhecidos e desconhecidos. Platão, Safo de Lesbos, Epicuro, Nietszche, Giacomo Casanova, Albert Camus, Simone de Beauvoir, Hannah Arendt e muito mais.

Com um suspiro, olho para cima. E só então descubro o teto repleto de fotos, coladas com adesivos coloridos. Elas ocupam todos os espaços ao redor da saída de um fio de uns cinquenta centímetros, que pendura a única luminária do quarto. Olhando as incontáveis fotografias, que se sobrepõem umas às outras, desato a rir. Até tossir, até doer as costelas. Reconheço o rapaz enfurecido que acaba de me atacar em uma das fotos. É o mesmo gritão apaixonado que levou um banho de balde semanas atrás, principal suspeito da pichação SERENA ZOCCOLA na fachada do prédio. Como naquela noite apareci à janela depois que Serena arremessou a água, provavelmente ele pensou que fui eu. E eis sua desforra: olho por olho, balde por balde. Sinto uma alegria quase juvenil ao imaginá-lo tecendo sua vingança contra mim por dias e dias. Nos espiando, possivelmente me vendo na garupa da moto de sua amada. Quem diria? Eu, objeto de ódio. No Brasil, as intrigas em que me metia se resumiam a desavenças com vizinhos barulhentos ou reclamações à operadora de celular, quando ainda tinha um que telefonava. Só posso rir. Este banho foi o mais próximo que já estive de participar de uma briga de rua.

Sonia Felice retorna e se espanta com o meu riso. Me recomponho e agradeço enquanto ela me estende a muda de roupa. É o meu próprio pijama, dobrado e acompanhado de uma de minhas toalhas. Sem constrangimento por ter entrado em meu quarto e mexido em minhas coisas, ela diz "prego" e sai do quarto para me dar privacidade. Minha senhoria parece nunca perder o senso prático, atenta a tudo com seus plácidos olhos azuis. Seus cabelos, negros e à altura dos ombros, não têm um único fio fora do lugar. E ao redor de seu vestido azul-marinho, impecavelmente bem-passado, paira um perfume de roupa limpa. No rosto, maquiagem tão sutil que parece nem estar usando. Franca até na beleza.

Assim que termino de trocar de roupa, sento novamente na cama. Porém, logo me sinto cansado e, como Sonia demora a retornar, acabo deitando mais uma vez. Com a cabeça no travesseiro, olho para cima e fico analisando as fotografias que cobrem o teto. Percebo que as pessoas quase não se repetem nas imagens, só Serena é constante em meio a tantos sorrisos diferentes. Reconheço alguns cenários: Scuola Romit, Coliseu, Piazza San Pietro, Piazza Navona, o Pantheon, a fachada do Palazzo Felice, diferentes quartos do edifício. Reconheço minha própria cama, em uma foto polaroide. Com Serena e mais quatro pessoas deitadas na nuvem.

— Posso entrare?
— Sì, signora Felice. Sono vestito già.

Minha senhoria adentra o recinto com seu olhar insondável e decido ir embora. Mas assim que penso em levantar e dizer que já me sinto melhor, ela senta na cadeira diante de mim. Sonia Felice, de postura ereta e pernas cruzadas, ajeita a saia, alisando uma prega inexistente. Então, olha para cima, se mantendo em silêncio por longos instantes, como se também analisasse as fotos. Até que se volta para mim e, pela primeira vez, sorri. E algo nesse sorriso me diz que não vou a lugar algum sem antes termos uma boa conversa.

— *M*ia figlia è una ragazza singolare. Non è vero, signor Bevilacqua?

Concordo com um aceno de cabeça. E a partir daí, Sonia inicia um monólogo claro e tranquilo, como se estivesse narrando um documentário sobre os curiosos hábitos de um animal raro. Não há ironia, deboche ou irritação em suas palavras. Minha senhoria apenas explana. E eu ouço, ainda deitado na cama, mãos cruzadas sobre a barriga, com o constante movimento de um dedão rolando sobre o outro, ad infinitum.

Signora Felice começa afirmando, com a sobriedade de um médico que divulga um diagnóstico, que Serena é uma colecionadora de pessoas. Sorrio diante da estranha definição, mas não sou correspondido. Ela se cala e pensa por um instante, como se percebesse que disse algo insólito. E logo complementa que, ao longo do relato, as coisas farão mais sentido. Continuando, Sonia diz que sua única filha sempre teve mania de adotar pessoas, é assim desde bambina. Nesse momento, temo por onde a conversa vai dar, receoso pelo juízo que a proprietária do edifício faz de mim. Um velho que alicia a sua filha. Ou um incapacitado, adotado por uma garota com idade para ser sua neta.

— Signora Felice, Serena non mi ha adottato. Sua figlia mi insegna italiano. Io pago per le lezioni e...

Sonia me interrompe com um sutil aceno de mão, como se dissesse "apenas ouça". Por um brevíssimo momento, seu olhar fica igual ao de Serena. Então, me calo.

E ela prossegue. Para o meu espanto, contando intimidades familiares, em italiano professoral. Fala de Heinz Müller, contador e árbitro de futebol nas horas vagas, vindo da Alemanha no verão de 1993 para passar as férias. Homem reservado e calado, porém "educado ao extremo e com excelente tônus muscular", ouço constrangido. Com ele, Sonia teve um relacionamento que começou com uma abordagem descrita sem nenhuma emoção aparente: Heinz a viu parada na rua, quando ela estava de cigarro na mão, pedindo fogo a um estranho, que não tinha. O alemão se apaixonou perdidamente. Então, em um arroubo que não era de seu feitio, ele abordou um outro desconhecido, lhe comprou o isqueiro e correu imediatamente em direção à então senhorita Felice para lhe acender o cigarro. Diante da chama, confessou: nunca foi fumante. "E café? O senhor bebe?", foi a resposta da jovem Sonia, segundo ela mesma. Após dois ou três cafés, vieram alguns vinhos. Do vinho, veio Serena.

Durante a gestação, Heinz se mudou para a Itália, apesar de sua família ser contra. O relacionamento, porém, não durou. Nunca chegaram a casar, por mais que Heinz tivesse feito a proposta. A recusa foi por não haver necessidade, afirma a senhoria, sem mais. Havia coisas mais importantes para se preocupar e ela se dividia entre um emprego mal pago de secretária; os cuidados com a mãe, viúva reumática; o Palazzo Felice, patrimônio familiar; e, agora, a filha recém-nascida. Já ao desempregado pai alemão, que não se adequou como contador no nebuloso sistema fiscal italiano nem encontrou brecha para apitar na passional liga de futebol local, restava ficar ao redor, tentando se adaptar ao modo de vida romano e ao fato de ser sustentado por uma mulher. Ambos sabiam que isso não iria longe. Por isso, quando ele decidiu partir, signora Felice, que jamais se casou para ser chamada de senhora, nada fez para impedir. Serena mal caminhava quando o pai voltou à Alemanha. E ambas, mãe e filha, viram um ritual se iniciar logo em seguida: durante mais de uma década, todos os meses chegava um cheque pelo correio, à guisa de pensão informal, sem qualquer tipo de carta ou bilhete, apenas um endereço em Berlim como remetente. Quando Serena fez quinze anos, os cheques pararam de chegar. Heinz nunca pediu foto ou enviou alguma sua e elas nunca responderam às missivas. Com o tempo, e diante do próprio desinteresse da filha na figura do pai, ele foi desaparecendo de suas vidas. Nunca mais souberam de Heinz Müller, o alemão educado ao extremo e com excelente tônus muscular.

Sonia silencia, reflexiva. Tento encontrar qualquer sinal de tristeza em seu olhar, mas só vejo placidez. "La vita è così", ela comenta, dando de ombros. O importante é que as Felice nunca estiveram sozinhas. No velho palazzo, durante a infância de Serena, também moravam, além da vó da menina, duas tias, irmãs mais velhas de Sonia. Assim eram as três irmãs: a primeira, viúva precoce; a segunda, a desquitada do bairro; e a caçula, sentada à minha frente, a mãe solteira. "Sua professora particular de italiano cresceu neste palazzo de mulheres e, por favor, senhor Bevilacqua, não vá pensar que isso tenha sido algum tipo de privação", frisa a senhoria, em romaníssimo italiano, cheia de dignidade, apesar das línguas afiadas da vizinhança. Neste edifício, construído em 1890 e em posse da família Felice desde sempre, Serena cresceu vendo muitos namorados da mãe e das tias entrarem e, em algum momento, saírem para não mais voltar. E quando a mãe e as irmãs de Sonia faleceram, uma após a outra ao longo dos anos, ela largou o emprego, decidida a cuidar da filha, amor maior, e do prédio, que passou a ser a única fonte de sustento. "Neste momento, temos apenas o senhor como locatário", a mulher diante de mim explica. "Um inverno fraco. É a crise, dizem. Mas, nos demais meses, todas as quatro câmaras do seu andar, mais as três restantes do segundo, certamente serão locadas, como todos os anos. Isso financia tudo o que precisamos para viver, além dos custos de manutenção. Uma infiltração aqui e ali, mas qual construção não tem, não é verdade?". Pergunto, por puro reflexo, se o palazzo tem seguro. Ela diz que sim, que paga todos os anos, mas nunca usou. E pela primeira vez irritada, chama seu corretor de "quel sanguisuga". Peço que esqueça a pergunta e prossiga o relato.

E é o que ela faz, contando da bambina quieta, sensível e gordinha que, pouco a pouco, foi se tornando uma exuberante ragazza. Após terminar o colégio, onde se graduou com notas acima da média, Serena cursou Filosofia na Università di Roma. Mas abandonou o curso quase ao final, por mais que colegas e professores até hoje tentem convencê-la a voltar. "De toda forma, um diploma de Filosofia não serve para muita coisa, não é mesmo, senhor Bevilacqua?". È vero, respondo aturdido, só para não contrariar. Continuando, Sonia afirma que a filha sempre foi uma menina de curiosidade aguçada, observadora por natureza e questionadora por vocação. Desde a infância, era assim: intensamente interessada nos outros. Não há quem se sinta solitário ao seu lado.

"E isso me leva ao senhor", ela diz em sua língua. "E a todas as pessoas nas fotos espalhadas pelo teto, que minha filha gosta de ver antes de dormir. Ela sempre conviveu de perto com os alunos da escola de italiano que o senhor frequentou. A Scuola Romit é responsável por boa parte dos inquilinos, temos um convênio com eles. Graças a isso, Serena acabou se tornando especialista em hospitalidade. Até demais, segundo alguns vizinhos dos prédios ao redor... os mesmos que sempre nos recriminaram, mas, ao mesmo tempo, nunca cansaram de nos espiar". Ainda sobre a vizinhança, Sonia diz:

— Essere Felice è il modo più facile per essere diffamato.

Sorrio, pensando no duplo sentido da tradução de seu comentário, enquanto minha senhoria afirma que, volta e meia, escuta o palpite de que a personalidade de Serena, muito dada a intimidades com estrangeiros, é reflexo da ausência do pai, não por acaso, um forasteiro. Mas ela não crê nisso, dizendo que as motivações da filha parecem ser mais simples: vivências intensas e de curto prazo. Amigos que vêm e vão, sempre se renovando. Sonia resume: "A cada temporada, novas aventuras ao lado de pessoas excitantes. Afinal, o turista é um animado por definição, alguém com fetiche pelas coisas da terra que visita. Principalmente quando vêm à Itália. Para eles, Serena é mais que uma menina extrovertida. É uma romana. Um prato típico".

Nesse momento, sem saber bem por quê, pergunto se muitos brasileiros já estiveram por aqui. "Vários!", Sonia diz, jogando a mão para trás como quem perde as contas. E complementa: "Portugueses e angolanos também. Sim, é daí que vem a fluência de Serena em português. Mas se o senhor fosse francês, vocês conversariam na língua de Sartre com a mesma naturalidade. Algumas pessoas têm essa facilidade. Eu, mal arranho o inglês. Serena se vira com espantosa desenvoltura em pelo menos cinco línguas. É um prodígio".

— Veramente, signora... sua figlia è una collezionista di persone.

— E una psicopatica. Ma in un buon senso, capisce?

"E qual é o bom sentido de ser psicopata?", pergunto. Sonia Felice explica: "A psicopatia é algo que as pessoas normalmente associam a assassinos. Mas na verdade é uma condição mais comum e abrangente do que se pensa. O psicopata também pode ser apenas um talentoso manipulador de pessoas, que não sente remorso nem se preocupa com as convenções sociais. Alguém charmoso, que usa os outros para realizar seus próprios desejos. A diferença é que o psicopata só se importa consigo mesmo, enquanto minha filha ama todo mundo. E esse amor é recíproco. Todos querem estar com ela, que parece ser um ímã para histórias insólitas. De modo geral, isso é inofensivo. Causa um pretendente chorando aqui, uma gritaria ali, paixões e mágoas administráveis. Mas o ataque que o senhor sofreu há pouco é prova de que amor em abundância também tem efeitos colaterais".

Colecionadora de pessoas e psicopata do bem... pergunto de onde vieram essas definições tão esquisitas e Sonia conta de quando a filha, anos atrás, consultou um psicólogo por alguns meses. "Só para saber como é", explicou Serena à época, procurando um consultório na internet como quem escolhe uma pizza no cardápio. "Não entendo nada dessas coisas, senhor Bevilacqua. Para mim, o problema de Serena sempre foi excesso de tempo livre, tanto dela quanto dos turistas. Essas estranhas definições foram ditas a mim por esse doutor que ela frequentou. Talvez ele tentasse ser didático com uma leiga como eu, explicando as coisas nesses termos. De qualquer forma, parecia ser um homem muito sério. Um romano de cinquenta e poucos anos, casado, com foto do neto na carteira, que apareceu aqui para devolver o cheque da última consulta, dizendo que não poderia mais atender minha filha porque havia se apaixonado por ela".

Sonia e eu nos olhamos. E não conseguimos segurar uma risada.

— *C*iao, mamma. Ciao, signor Bevilacqua.
— Ciao, figlia mia.
— Ciao, Serena.

Quando terminamos de rir, Sonia e eu percebemos a presença de Serena, parada à porta do quarto. Enquanto todos se cumprimentam, me pergunto há quanto tempo ela está nos escutando. Minha professora particular, companhia constante em janeiro e sumida nos últimos dias, se dirige a mim com cortês formalidade, como se nunca houvéssemos trocado mais do que buongiornos. Sinto um frio na barriga. Realmente, parece uma psicopata.

— Posso parlare con il signor Bevilacqua per dieci minuti, figlia?

— Sì, mamma. Vado in cucina.

Sonia pede para nos deixar sozinhos por mais dez minutos e Serena vai para a cozinha sem demonstrar nenhum assombro por eu estar em seu quarto. Mesmo me vendo de pijama, deitado em sua própria cama como se fosse um divã, com sua mãe a conversar comigo sentada à minha frente, ela não pede explicações. Assim como surge, desaparece. Acho que foi a primeira vez que a ouvi me chamar de senhor. Mas sua performance como atriz foi pífia. Me senti ainda mais constrangido com essa tentativa falha de esconder nossa amizade, o segredo mais mal guardado de

Roma. Sonia Felice parece saber tudo o que acontece em seu palazzo.

— Signor Bevilacqua, sono preoccupata.

— Ma signora... non ho fatto nessun male a sua figlia.

— Non sono preoccupata per Serena.

Sem rodeios, Sonia Felice enfileira relatos de homens que se apaixonaram por sua filha. A maioria, tragicômicos, como a história do rapaz do balde, que há meses não esquece da única noite que passou com Serena. Até que, por fim, fala de Pedro Altamirano, um mexicano que Serena conheceu há apenas cinco anos e que se tornou obcecado por ela. Um amor não correspondido e doentio. Por incrível que pareça, eles nunca sequer se beijaram, apenas frequentavam o mesmo bar, durante o que deveria ter sido uma curta viagem de turismo do rapaz. Só que, em vez de voltar para sua terra ao final dessas férias, ele permaneceu, gastando todo o seu dinheiro tentando se manter próximo da garota dos seus sonhos. Mas ao ver seus esforços de conquista não serem correspondidos, Pedro passou a ter ataques de fúria. Agrediu dois estudantes da Romit na saída de uma aula. E foi deportado, não sem antes passar uma longa temporada preso, após dar uma facada em Serena, do nada, em meio a uma festa, tentando golpear também quem dançava com ela. Hoje, ele está proibido de entrar na comunidade europeia e Sonia espera nunca mais saber dele ou se envolver com uma confusão assim. "Não sei o que foi mais doloroso, senhor Bevilacqua... se a facada ou o processo envolvendo a polícia e os advogados. As risadas pelas costas, as insinuações de que foi minha filha quem o provocou".

Arregalo os olhos, mas Sonia prossegue, dizendo que, se por um lado ninguém morreu, por outro, a filha nunca mais foi a mesma. "A maioria das pessoas se retrai após um trauma. Serena, não. Pelo contrário: ela se tornou ainda mais inconsequente, sem se preocupar com nada que não seja o agora, ajudando os amigos com planos malucos, tomando para si os problemas, práticos ou existenciais, dos outros. Parece bonito, mas me atormenta. Minha filha evita qualquer situação estável, seja de trabalho ou afetiva. Não busca nada para si mesma, não pensa a longo prazo. E passa seus dias aqui neste prédio, lendo e conversando na internet; ou na rua, fazendo só Deus sabe o quê. Com uma profunda cicatriz que, em vez de servir como alerta, ela carrega como um troféu". "No abdômen?", pergunto baixinho, pasmo, lembrando da cicatriz na barriga de Serena, que achei que fosse de apendicite. E sinto meu rosto ficar vermelho quando Sonia Felice me encara, sem responder.

Silenciamos. Ao que parece, tive sorte. Foi apenas um banho. Poderia ter sido uma surra. Eu, que fui a nocaute com água, não duraria um minuto em uma briga. Não apenas por ser velho, mas principalmente por nunca ter desferido um soco em minha vida. Em silêncio, penso em todas as histórias relatadas, buscando um ponto comum. E entendo onde minha senhoria quer chegar: não importa se a história é triste ou cômica, todas terminam. E Serena segue em frente, para a próxima pessoa de sua coleção. Como se cada ser humano representasse uma missão ou, mais ainda, uma fuga. Uma vez completado o desafio, ela parte para outro. E quem fica para trás encara isso das mais diversas formas. Não que Serena rompa seus laços. Ela faz pior: os estica. Vai adiante e nunca desfaz a ligação. Ou se convive com isso e o tempo fortalece a amizade, ou a própria pessoa corta esse laço. Ou, também, enlouquece.

Mais uma vez, corro os olhos pelas fotos no teto. E sinto a senhora diante de mim me observar, dando tempo para eu raciocinar. Já faz quase uma hora que ela enfileira causos de sua filha e a conversa dura muito mais que os dez minutos sugeridos, mas Serena não retorna. Me pergunto se ainda está na cozinha ou se está em meu quarto, deitada na grande nuvem, seu refúgio favorito no prédio. Para quebrar o silêncio, questiono onde estão as amigas de minha professora de italiano, pois quase todos os relatos são sobre homens. Sonia suspira. E responde que o comportamento da filha desperta inimizades também, principalmente para quem a vê como rival. Assim, sua facilidade para fazer amigos é, também, uma dificuldade para manter amigas.

— E la signora? Che ne pensa su tutto questo?

Sonia Felice abre um sorriso cansado. Parece repetir para si mesma: "O que penso disso tudo?". Por um momento, ela reflete. Então, afirma que, como mãe, está sempre preocupada. É esse o seu papel. Diz que, no geral, a maior dificuldade é encontrar lugar para os presentes que os admiradores de Serena enviam. Bugigangas do mundo todo, que a obrigam a desperdiçar o último pavimento inteiro, transformado em depósito. "Não fosse isso, poderia alugar mais um ou dois cômodos do quarto andar. O senhor precisa ver, ela recebe de tudo... e não dá a mínima. A não ser, é claro, quando ganha livros ou vinhos. Serena chama o último piso de museu, dizendo que Roma não precisa de mais um, acho que um pouco ressentida por aqueles que cobram retornos a respeito de coisas que ela não pediu. No fim, sou eu quem faz questão de não jogar nada fora, com medo de que os remetentes apareçam e também por pena de me livrar dos presentes, alguns tão bonitos, verdadeiras obras de arte... a porta do último lance de escadas está sempre destrancada, se quiser conferir". Agradeço o convite, sem intenção de aceitar, e Sonia admite que, fora essa questão de estocagem, viu mais sorrisos do que lágrimas ao redor da filha. O importante é que Serena sempre sobrevive. Ela supera tudo. "Quando levou a facada e ficou uma semana no hospital, dois enfermeiros foram suspensos. Não me pergunte o motivo". Sim, Sonia sabe da bebida em excesso e das noitadas. "O problema é que minha filha é parecida demais com alguém que um dia já fui. Às vezes, isso me deixa feliz. Às vezes, triste".

Em um movimento brusco, como se despertasse de um devaneio, a senhoria se levanta e me estende a mão direita. Também me ponho de pé e nos cumprimentamos com a firmeza de quem sela um acordo de cavalheiros. Pego minha roupa molhada, enrolo na toalha e ponho a pequena trouxa sob o braço. De chinelos e pijama diante desta brava mulher, me sinto a criatura mais inofensiva que já passou por Roma em todas as eras dessa cidade.

— Grazie per le informazioni, signora Felice.

"Sou só uma senhoria cuidando de seu locatário", ela diz, à la Serena. E dá um passo para o lado, abrindo caminho para eu ir embora.

*N*unca fui dado a invencionices. Mas essa, que encontro em qualquer supermercado por aqui, me fascinou. Alguém ainda vai ganhar muito dinheiro levando essa ideia para o Brasil: um pote com cerca de vinte centímetros de diâmetro, cheio de rúcula, alface, tomates-cereja, azeitonas pretas, nozes e lascas de queijo parmesão. Ingredientes frescos, misturados no dia. Para abrir, basta romper um lacre e emborcar o recipiente plástico sobre o prato. Eis, então, a verdadeira magia: no fundo do pote, há uma espécie de nicho que, quando rompido com o pressionar de um dedo, derrama uma mistura de azeite de oliva, vinagre balsâmico e sal sobre a salada. Magnificamente saudável, não acha?

O problema, meu amor, é que já é o sexto dia seguido em que repito este almoço. Hoje, quando me sinto particularmente ousado e faminto, resolvo abrir uma lata de atum para acompanhar. Observo minha refeição, a caixinha de suco de uva integral ao lado do prato. Então, como tantas vezes tenho feito nos últimos dias, deixo escapar um suspiro. Mas é preciso pensar positivo. Desde que retomei a dieta, não tenho tido mais tonturas ou palpitações. Os remédios têm sido tomados nos devidos horários, as parcimônias voltaram a ser respeitadas e os excessos, evitados. O vinho, então, virou saudade. E tudo voltou ao normal nesses primeiros dez dias sem Serena.

Não que eu não a tenha visto mais. Nos cruzamos com frequência, subindo e descendo as escadas. Ela sempre me cumprimenta com um amável "Ciao, Bello" e segue em frente, sua especialidade. Costumo responder erguendo a aba de meu chapéu e dando um meio-sorriso. Um cumprimento contido, como tudo atualmente. Nesses dias em que tenho saído de casa em horários inconstantes, livre de qualquer tipo de aula ou compromisso, apto a passear quando bem entendo, acho que Serena não tem mais se aventurado em minha cama quando estou ausente. Todos os dias, ao retornar ao quarto, inspeciono o lençol, averiguo as lixeiras da cozinha embutida e do banheiro. Só encontro meu próprio lixo.

Quanto a Sonia Felice, esta vi poucas vezes. Sempre com sua postura impecável, o estranho jeito de sorrir apenas com os olhos. Minha senhoria me cumprimenta como se o dia do balde nunca tivesse acontecido. Quando nos cruzamos, não tocamos em nenhum assunto que não seja o clima ou o pagamento do mês. Hoje, senti que ela estranhou que eu estivesse circulando tão cedo pela manhã. Acho que é a primeira vez, desde que deixei de frequentar a Scuola Romit, que acordo antes das dez. Pouco a pouco, vou retomando os hábitos de um idoso normal.

Mas, pelo menos quanto ao sono regulado, não devo nada a Serena. A culpada é Ambra. Assim como minha ex-professora particular de italiano, a apresentadora de tevê também saiu de minha rotina. Há poucos dias, para minha surpresa e desapontamento, me deparei com outra apresentadora a conduzir o programa *Non è la Rai*. Uma tal de Antonella, loura de cabelos curtos, acompanhada de outras garotas risonhas e nada parecidas contigo. A impressão que tenho é que passaram a exibir episódios ainda mais antigos do programa. Nos quais Ambra, ao que parece, ainda não fazia parte do elenco. De qualquer forma, não precisamos mais dela. Há limite para o ridículo. E já faz dez dias que atingi o meu.

Assim, voltei à pacata rotina de aposentado expatriado. Sem riscos e constrangimentos, nem amigos e colegas. Decidi não retomar o curso de italiano, satisfeito com o que reaprendi na Scuola Romit e com Serena. Agora, os dias são de repouso e dieta em dia, além de exercícios leves quando o ânimo permite. Me atenho ao que vim fazer em Roma: envelhecer e ficar quieto. E, aqui e ali, reencontrar minhas melhores lembranças de ti. Reparaste? Até voltamos a conversar mais. Aqui, em minha mente, tu continuas sendo a melhor companhia. Sentiste a minha falta, Alice? Sigo revisitando os bancos onde sentamos, as esquinas que cruzamos. Só evito os mesmos restaurantes. É muito duro entrar em uma trattoria e não poder pedir os pratos que comemos juntos.

Beeep Beeep.

Buzina de lambreta. Pouso o garfo sobre a salada e levanto, me inclinando em direção à janela. Chego a ela em um instante, olhando ansioso através do vidro. Mas não é Serena. É seu incansável admirador e meu inadvertido nêmesis. O rapaz do balde, ainda de coração partido. Nesses dez dias, é a terceira vez que se prostra diante do palazzo para gritar ébrias palavras de amor ou ódio, dependendo de seu estado de espírito.

— Serena puttana!

Hoje, pelo visto, de ódio. Sinto certa ternura pelo ragazzo e tenho vontade de lhe falar da grande ironia contida em seu grito: a puta filha do juiz de futebol. Ele logo percebe minha presença à janela e se põe a me olhar com firmeza, sem piscar, sentado em sua lambreta lá embaixo. Ficamos os dois nos encarando, como velhos inimigos cansados de guerra. Então, pego um guardanapo sobre a mesa e, com um sorriso sincero, abano para ele, tremulando o pano. Bandeira branca. Chega de serenices.

Meu gesto o deixa pensativo, estático sobre a moto. Parece confuso. Então, para lhe motivar, fecho a mão e ergo o dedão, fazendo um sinal de joia, como se dizia no meu tempo. Afinal, não é disso que a moçada gosta na internet? Um bom dedão erguido, bem positivo? Nessas tais redes sociais não são todos como gladiadores no Coliseu, dando o melhor de si e aguardando o aval do público e do imperador, que mostrava um dedão para cima ou para baixo e decidia quem vivia ou morria ao final de cada embate? Não sei. Só sei que o ragazzo, em movimento lento e solene, me apresenta uma mão fechada também. Só que, em vez do dedão, ele ergue apenas o dedo do meio. E pisa no acelerador, partindo pela rua com o gesto fixamente apontado para a minha janela.

Último dia de fevereiro. O cinza se rende gradualmente às cores. Turistas brotam como flores, estourando flashes por esta cidade sempre disposta a engolir mais gente. Da janela, observo a inexorável aproximação de março. Com suas tardes solares e noites amenas, também chegarão novos inquilinos ao Palazzo Felice. Atualmente, já somos quatro, contando comigo. Em breve, serão mais. Vislumbro dias de algazarra no prédio, garotada notívaga, vômitos nas escadas. Imagina no verão, meu amor... já sei, já sei. O verão sempre foi a tua época do ano favorita.

— Essa fila não anda, Alice.

— E qual a pressa de entrar na basílica, Roberto? Deus não vai fugir.

— Muito calor, gente demais... na próxima vez que viermos à Itália, será na baixa temporada.

— Nem morta!

Apesar de não fazer muita coisa, ando cansado. Minha única distração atual é recordar nossas conversas de lua de mel. Além disso, ando preocupado: teu rosto começa a me escapar novamente. E não posso mais contar com Ambra nas madrugadas, substituída sem mais nem menos. Tento insistir com o DVD que Serena me deu, mas ele apenas acende a sua luzinha vermelha, faz o CD girar um pouco e logo para. Sei como é, tenho vontade de dizer ao aparelho. Sim, por mais que tenha voltado aos hábitos saudáveis, estou exausto. Até a solidão, antes tão bem cultivada, agora parece árida. Não te ofendas, por favor... mas falar sozinho também cansa. Afinal, nesses anos todos, tu nunca te dignaste a responder, nem ao menos uma vez. Teria ajudado em muitos momentos. Mas já faz tempo que é tarde demais.

Pela movimentação no edifício, garrafas e jovens que não param de circular, imagino que vá acontecer alguma confraternização mais tarde. Penso em ir para um hotel passar a última noite de fevereiro. Mas, resignado, permaneço no Palazzo Felice. Não por birra, nem pão-durice. Dinheiro, juntei bastante. Posso viver mais uns trinta anos só com a aposentadoria e dividendos de imóveis e investimentos. O que me falta é ânimo. Bem diferente dos novos locatários: o espanhol com jeito de latin lover chamado Agustín, a pequenina e sorridente peruana chamada Noelia e o enorme húngaro mal encarado chamado Andras. Todos estudantes da Scuola Romit, que fizeram questão de se apresentar a mim, mesmo eu não tendo pedido por isso. Meus vizinhos são uma sopa multicultural. Prato cheio para quem coleciona pessoas.

Alô, pai? Só queria saber se tá tudo bem. Pelo visto ainda não se acostumou a andar com o celular. O senhor não muda, né? Bom, tento ligar de novo outra hora. Não tenho como deixar número pra contato, o senhor sabe. Hoje estou em Buenos Aires. Embarco pra Lima amanhã e... bom... um beijo, então.

Tenho escutado cada vez mais a mensagem de nossa filha. Chego a temer que o velho Nokia também deixe de funcionar, tal qual o DVD que me ajudava a lembrar do teu rosto e não durou nem um mês. Talvez os aparelhos eletrônicos sejam um pouco como nós: registros tristes duram mais que lembranças felizes. Estranho que Serena, sempre tão eloquente e curiosa, não tenha perguntado mais sobre Clara. Hoje, gostaria que o tivesse feito. Deveria ter lhe mostrado a gravação para que também ouvisse a voz dela, seu jeito suave e cantado de falar. Queria que Serena dissesse o que eu deveria ter feito naquela tarde fria de 1999.

— Pai... podemos conversar?

— Claro, filha. Sente-se.

— Tenho tentado falar com o senhor já faz algumas semanas... mas o trabalho tem lhe tomado tempo... tento não incomodar.

— Os sinistros nunca avisam quando vão acontecer, tu sabes.

— Vou embora de casa, pai.

— Mas... quando? Como?

— Nos próximos dias, ainda esse mês. Vou morar com amigos por uns tempos, com a grana do estágio posso ajudar a pagar as despesas. Tenho feito contatos bacanas nos últimos tempos, muitas possibilidades surgindo. Quero... quero viver da minha música.

— Viver de música?!

— Sim. É o que quero pra mim. Tenho estudado, me aperfeiçoado e...

— Mas, filha! O que aconteceu contigo? De uns tempos pra cá, tu só dizes absurdos! O que eu fiz de errado?

— Pai, por favor... não diga isso. Não quero brigar com o senhor. Não mais.

— Clara... minha filha... eu me preocupo cada vez mais contigo. Só quero o teu bem, entendes? E que tu tenhas segurança, estabilidade... a vida é dura lá fora. Não é festinha e violão todo dia.

— Não te preocupa comigo, pai.

— Eu... já não sei mais o que te dizer. Pelo visto, tu sabes o que é melhor pra ti.

— Sei, sim. Só preciso saber se o senhor vai ficar bem.
— Não te preocupes comigo, filha.

Comprar vestidos, sarar catapora, ensinar a comer verduras, levar ao oculista e comprar absorventes foi fácil. Conversar, não. Enquanto eu te procurava nos filmes, músicas e livros italianos, Alice, nossa Clara sonhava em conquistar as Américas, de mochila e violão às costas. Cada um fechado em seu quarto, aos poucos nos tornamos dois estranhos, não mais pai e filha. Eu ouvia Peppino di Capri; ela, Fito Paez. Eu assistia Fellini; ela, Buñuel. Nossas refeições eram silenciosas, a não ser por diálogos truncados e palavras engasgadas. Porque seu Coliseu era Machu Picchu e os romanos, para nossa menina, nunca foram a maior civilização do mundo. "Sou mais os incas", ela disse certa vez, me provocando e mal sabendo que, dentre todas as pessoas de todos os povos de todas as épocas, serei sempre mais ela. Mas como eu nunca soube dizer essas coisas, Clara partiu. Me deixando sozinho com a única pessoa com quem tenho desenvoltura para conversar: uma morta imaginária. Quer dizer, se é que dá para chamar monólogo de conversa. Mais uma vez: não te ofendas, Alice.

Assim, sigo em frente, ao meu modo. Apago a luz, deito na cama e, por mais uma noite, sobrevivo aos risos vindos dos outros quartos. As horas se arrastam e, enfim, o silêncio envolve o edifício. Abro os olhos e não sei se dormi em algum momento. No escuro e voltado para o teto, penso nos objetos guardados logo acima de mim e lembro do dia em que aceitei a sugestão de Sonia Felice e resolvi bisbilhotar o depósito. Acho que passei mais de uma hora embasbacado em meio àquela incrível coleção de presentes, o último andar do palazzo convertido no templo de uma divindade moderna, eco do tempo em que todos podiam se converter em deuses com um decreto do imperador. Entre suvenires do mundo todo, obras de arte se destacavam, todas reproduzindo a imagem de Serena. Pinturas e desenhos de diversas técnicas, e até uma estátua de corpo inteiro, feita de gesso, oferendas de admiradores talentosos, outros nem tanto. Ursos de pelúcia, bonecas, relógios, colares, globos com miniaturas de cidades, artesanatos de palha, todo tipo de quinquilharias, juntando pó e clamando pela memória de seus remetentes. O que todos eles não dariam por mais um dia com Serena? E eu aqui, perdido entre o depósito e o quarto dela. Fecho os olhos mais uma vez. E, não sei por quê, lembro de um berimbau abandonado entre as caixas. Dou uma risada, mas logo o silêncio volta a ser ensurdecedor. Então, inicio o ritual das últimas madrugadas: começo a me revirar na nuvem, rolando para lá e para cá, com saudades de eventos de um tempo distante e outros nem tanto. Quando as aulas particulares foram suspensas, primeiro veio a paz. Depois, o tédio. Agora, o cansaço. Penso, penso e não consigo dormir. Até que, enfim, abro os olhos de novo e, com alívio, vejo que a manhã chegou. Março, também.

Levanto ao primeiro raio de sol. Abro a janela e o dia se mostra ridiculamente belo, o céu ostensivamente azul. Decido enfrentá-lo. Tomo banho, visto o terno e faço meu chá matinal. Então, encho os bolsos com meus remédios e vitaminas, não esquecendo de levar também o celular para avisar a hora de tomá-los. Resolvo tirar este dia para uma longa caminhada e saio à rua logo cedo, tentando derrotar a melancolia com um bom exercício. Sem pensar, só andar. Girar por Roma até não sentir mais as pernas. Então, pegar um táxi e voltar. Para conseguir dormir a próxima noite, o plano é cansar o corpo até esquecer o quanto fevereiro foi mais longo que janeiro.

Mas já na primeira esquina, logo saindo da Via del Boschetto, um artista de rua me mostra que o plano não será fácil de cumprir. A plenos pulmões, ele canta *O sole mio*. E sua maneira de recitar certa palavra da segunda frase da música soa quase como uma afronta.

Che bella cosa, 'na jurnata 'e sole...	*Que bela coisa, um dia de sol...*
N'aria serena, doppo n'a tempesta...	*A brisa serena, depois da tempestade...*
Pe' ll'aria fresca, pare già na festa...	*Pela brisa fresca, parece já uma festa...*
Che bella cosa 'na jurnata... 'e sooole!	*Que bela coisa um dia... de soool!*

Mesmo com a provocação, deixo algumas moedas no chapéu do tenor. E paro para ouvir o refrão, sem poder evitar a lembrança de que Clara prefere Elvis, que cantava *It's now or never* sobre a mesma melodia.

Maaaaaaaa n'atu soooole...	*Maaaaaaaas um outro sooool...*
Cchiu bello, oi ne'...	*Ainda mais belo...*
'O' sole mio...	*O meu sol...*
Sta 'nfronte a te!	*Está na tua face!*
O sole... o sooole miooo...	*O sol... o meeeeu soool...*
Sta 'nfronte a teee...	*Está na tua faaace...*
Sta 'nfroooonte a teeeeeee!	*Está na tuuuua faaaaaace!*

Parãm, pãm, pãm! Sim, um dia de sol é tudo o que um homem precisa após um mês de solidão e frio. Tiro o paletó, ajeito o chapéu e sigo adiante, caminhando e tomando remédios. Quando o celular toca avisando que é hora de mais uma bateria, me sento em um café em uma rua que não faço a menor ideia qual seja. Dentre todas as delícias expostas no largo balcão, e envolvido pelo perfume de espressos e cappuccinos, lembro meu médico e peço apenas água mineral e uma barra de cereais. O garçom faz cara feia e acho que eu também. Ninguém pode sorrir diante de uma barra de cereais, a não ser nas propagandas. Ela é sempre uma lembrança do que se gostaria de estar comendo no lugar dela. No caso, uma lasanha, meu prato favorito. Sim, este sou eu: um homem banal até na comida preferida. Penso nisso e, enquanto jogo os remédios para dentro de mim, finjo que são nacos de queijo grana padano.

Mesmo mal alimentado, retomo a jornada. E logo me vejo em um local que, curiosamente, ainda não tinha revisitado: a Piazza della Repubblica. Lembras de quando estivemos aqui, Alice? Na enorme rótula com quatro grandes fontes representando as ninfas das águas. La Fontana delle Naiadi. O que seu almanaque dizia mesmo sobre esse lugar? Ah, sim, as quatro estátuas de mulheres nuas que escandalizaram as beatas romanas e os cidadãos de bem do início do século xx. Até o L'Osservatore Romano, jornal do Vaticano, se manifestou contra o obsceno monumento. Em poses sensuais, recebendo os jatos d'água sobre as nádegas empinadas, elas são mesmo provocantes. Segundo o seu livro, a prefeitura teve que colocar uma cerca para tentar esconder a fonte, enquanto se debatia politicamente a manutenção ou não da mesma. O povo, porém, deu sua resposta derrubando o obstáculo. E os puritanos nada puderam fazer contra a beleza dessas quatro monumentais mulheres de bronze.

Fico feliz por recordar toda essa história, quarenta e um anos depois.

Então, fico triste. Porque sinto vontade de comentá-la com Serena.

Balanço a cabeça e retomo a caminhada. Nada de pensar, nada de pensar! Vou em frente, evitando até os pontos turísticos, compenetrado nas passadas e no barulho do tráfego. Passo pelo Monumento a Vittorio Emanuele II, gigantesco prédio branco, apelidado de Bolo de Casamento pelos soldados americanos na Segunda Guerra. Percorro a Piazza Navona e vejo a loja que serviu de locação para a livraria onde a mocinha do filme *O candelabro italiano* trabalhava. Filme do nosso primeiro beijo, da nossa música, *Al di là*... que Serena não conhecia e eu devia ter feito ela escutar... Nada de pensar! Caminhar! Caminhar! Não refletir sobre as ruínas, minhas e da cidade, não ver as vitrines com suas pizzas perfumadas, gelatos fluorescentes, as alcachofras fritas e reluzentes... Mais uma vez, só paro quando o celular vibra. Hora de mais remédios. Carregando a garrafa de água mineral, os engulo sem sequer olhá-los. E só então me dou conta de que anoiteceu. Pasmo e esbaforido, olho ao redor, atraído por uma inesquecível claridade azulada. Sim, sei o que me aguarda ao dobrar a próxima esquina: o lugar mais bonito de Roma.

Lá está, a Fontana di Trevi. Com estátuas feitas de puro mármore branco e sua cascata eterna. No mesmo momento em que a vejo, acendem-se luzes douradas ao seu redor, como se fosse mágica, oficializando a chegada da noite e amplificando a sensação celestial de suas águas. Feliz com a coincidência, sento em um dos cafés com vista para o espetáculo aquático e me dou ao direito de pedir uma massa, a primeira em semanas, esfomeado depois de tanta andança. Peço ao sugo, a mais simples e saudável do cardápio. E, ainda assim, divina. Com seu molho vermelho-rubi, puro tomate italiano, a solitária folha de manjericão perfumando tudo ao redor.

Enquanto me deleito com o spaghetti, observo a fonte, enlevado pelo barulho das águas. Me sinto pleno, como não me sentia desde janeiro. E sorrio como os inúmeros turistas ao redor, todos felizes por estarem neste lugar cinematográfico. Não resisto: peço uma taça de vinho tinto da casa. Nada mais que uma taça. Que faço durar por horas e horas.

Quando o garçom toca meu ombro, entendo que é hora de fechar. Pago a conta, deixo uma boa gorjeta ao ragazzo e me levanto. Reparo que, a essa hora, poucos turistas ainda persistem sob a noite estrelada. Decido, então, realizar o gesto que todo visitante faz por aqui: jogar uma moeda na fonte e fazer um pedido. Ajeito o chapéu e caminho até a beirada da fontana. Pego uma moeda no bolso, dou as costas ao monumento, fecho os olhos e a lanço para trás, por sobre o ombro. Quando ouço o ploft na água, me volto para cima, encarando as estrelas. E, em voz alta, comento:

— Esqueci de fazer o desejo, meu amor.

— Ainda dá tempo.

Olho ao redor, em busca da voz que me respondeu, mas só encontro rostos desconhecidos. Reparo que alguns me observam com curiosidade, não sei se por eu estar falando sozinho ou por ser um sósia de Mastroianni no cenário mais famoso de *La dolce vita*. Confuso, me volto para o céu e tento de novo. Agora, falando baixinho:

— Alice?

— E quem mais seria, amore mio?

— Então, é isso? Estou senil?

— Não sei dizer, nunca fiquei velha.

Olho mais uma vez ao redor. Agora, somente um casal de japoneses me observa, com escancarado interesse. Dou de ombros e sigo falando sozinho, tentando não perder o momento.

— Por que demoraste tanto? Me deixaste falando sozinho esses anos todos.

— Mas, Roberto... eu sempre te respondi. Tu que nunca ouviste.

— Então diga, Alice... o que a gente faz quando não há mais nada a fazer?

— Essa é fácil... a gente faz o que tem vontade.

Fico um tempo em silêncio, sorrindo. Para disfarçar os momentos em que estive falando sozinho, começo a assoviar. É quando o casal de japoneses, atraído por minha música, se aproxima e, com timidez, pede para tirar uma foto comigo. Pensam que sou uma atração turística. Ainda a sorrir, fico parado enquanto o homem se posiciona à minha direita e a mulher, à esquerda. Com seu pau de selfie, eles tiram uma foto de nós três, com a fontana ao fundo. Então, colocam cinco euros em minha mão, agradecem efusivamente, vão embora abraçados e só me resta voltar para o Palazzo Felice. Não de táxi, como imaginado, mas a pé. Porque os planos mudaram. E temos muito o que conversar.

Mas antes de iniciar a longa caminhada, retorno à beira da fonte. Viro de costas para as águas, fecho os olhos. E sem esquecer de fazer um pedido, jogo todos os meus remédios para trás, por sobre o ombro.

— Pronto, Bello.
— ...
— Bello?
— Como sabe que sou eu, Serena? Não estamos mais sozinhos no prédio.
— Quem, além de você, usa o interfone? As pessoas se falam pelo celular hoje em dia, caro mio. Mas diga, a que devo a honra?
— E por que acha que a ligação é para ti? Posso estar querendo falar com a tua mãe.
— Algo me diz que você viu, pela janela, que ela acaba de sair para ir ao mercado.
— Bem... eu...
— Então, Bello? Malas prontas?
— Eu... bem... achei que não ias querer mais falar comigo...
— Qual foi a última coisa que eu lhe disse?
— Não lembro, Serena.
— "Quando mudar de ideia, interfone".
— Bom, então... veja bem... andei pensando e...
— Que tal irmos na sexta-feira e voltarmos no domingo? Apenas um fim de semana, sem complicações. Não precisamos de mais do que uma ou duas noites em Brescia, tenho certeza que conseguiremos encontrar Ambra em...
— Serena, preste atenção. Se formos fazer isso, tem que ser do meu jeito.

— E qual é o seu jeito?
— Uma semana. Já planejei todo o itinerário, rumo ao norte. Florença, Bolonha, Pádua e, por fim... Bréscia. Pararemos nessas cidades, seguindo a linha do trem.
— ...
— Tu não precisas te preocupar com nada.
— ...
— Tudo por minha conta. Melhores hotéis e restaurantes. Todas as tuas despesas pagas, mais o valor que eu já pagava normalmente pelas aulas.
— Partiremos quando?
— Amanhã à tarde, no trem das três e meia. Chegaremos em Florença às cinco.
— Va bene.
— Fácil assim?
— Quer que eu faça como você, tire um mês para pensar?
— Não precisamos falar com a tua mãe?
— Se quiser, fique à vontade. Mas tenho o palpite de que ela vai ficar feliz de eu me ausentar por alguns dias... ainda mais depois do que aconteceu ontem à noite.
— E o que aconteceu?
— Não ouviu a confusão? Não estava em casa essa madrugada?
— Estava, mas não ouvi nada. Cheguei cansado, dormi como uma pedra.
— Paolo, seu amigo do balde, apareceu na festa que estávamos dando no quarto de Agustín. Transtornado, tentando me beijar, chorando, dizendo que ia se suicidar... mas ninguém levou a sério. Até que ele pulou da janela.
— Meu Deus!
— Só quebrou o pé. O quarto de Agustín fica no segundo andar, você sabe.
— E como isso terminou?

— Fomos todos para o hospital. Lá, apresentei Noelia, sua vizinha de porta, para ele e dei um jeito de se conhecerem melhor... ela é um doce e Paolo tem lá o seu charme. Inclusive, Noelita se voluntariou para ser a enfermeira particular do seu amigo. Ele está no quarto dela até agora. Com gesso e tudo.

— Tu és muito boa em esconder inquilinos clandestinos da tua mãe.

— Prefiro pensar que sou boa cupido.

— Então, tudo acabou bem? Não pareceu tão ruim.

— Porque não foi você quem teve que dar explicações pra polícia no meio da madrugada, após alguém cair da janela do seu edifício. Minha mãe não está muito satisfeita comigo no momento.

— Pelo visto, tu andas tendo dias cheios.

— Não tanto quanto os próximos. Até amanhã, Bello.

— Até amanhã, Serena.

Desligo o interfone e olho para o relógio papal na parede. São recém duas da tarde. Sorrio. Pois nada nesse mundo me impede de abrir uma garrafa de vinho e iniciar os preparativos para esta grande sandice.

Acordo cedo e saio em busca do primeiro espresso de verdade das últimas semanas. Em uma cafeteria próxima, peço por um duplo. Com a mala pronta e quase todas as providências tomadas ao longo do dia de ontem, ainda resta um último passeio a fazer antes de embarcar com Serena rumo a Florença. Aquecido pela bebida e energizado por seu perfume, pago a conta e parto pela Avenida Cavour onde, na base do aceno, demoro a arranjar um táxi. Hoje, se pede tudo por celular. Não se gesticula mais. Um pecado, ainda mais na Itália.

— Para onde vamos, amore mio?

Dentro do táxi, levo um susto. Mas o motorista não percebe. Apenas lê o papel que lhe entrego, seguindo para o endereço anotado.

— Tu vais me matar do coração, Alice. Ainda não me acostumei contigo me respondendo, quanto mais puxando assunto.

— Buongiorno pra você também, Roberto. Então, mais uma vez... aonde vamos?

— A um lugar onde nunca estivemos.

— Gostei. Podemos ter mil luas de mel e nunca vamos desvendar todos os segredos de Roma. Que lugar é esse?

— Como se tu não soubesses...

— Como vou adivinhar?

— Mesmo me respondendo, sei que tu ainda estás dentro da minha cabeça. A resposta está aí, meu amor. É só procurar. E desculpa a bagunça.

Tu silencias enquanto observo Roma passar pela janela do táxi como um filme rebobinado. Em cerca de quinze minutos, chegamos ao cemitério Monumentale Verano. Pago o motorista, desço do carro e só então percebo que o endereço fica quase diante da Università di Roma. Sorrio ao imaginar Serena passando por aqui diariamente, quando estudava filosofia. Aposto que nunca deve ter visto o túmulo que vamos visitar.

— Que macabro, Roberto.

Não é a primeira vez que me dizem isso, Alice. Mas calma, estamos quase lá. Após uma breve busca em meio ao labirinto de lápides, me deparo com um grande tampo retangular, feito de mármore róseo, coberto por algumas flores murchas. Um sepulcro simples, exatamente como descrito no site que visitei em um cibercafé na tarde de ontem, depois de interfonar para Serena. Engraçado que encontrar informações sobre esse túmulo na internet foi muito mais complicado para mim do que chegar aqui fisicamente.

MASTROIANNI

E nada mais. Apenas o sobrenome mais famoso de Marcello Vincenzo Domenico Mastroianni gravado em letras de metal, ao lado de uma comprida cruz no canto esquerdo. Não há registro das datas de nascimento e falecimento, nem fotografia. E me parece justo. Afinal, não é preciso ser parecido com ele para lembrar o seu rosto. Que tristeza imaginar alguém que não saiba como é a sua face. Eu, se fosse assim, correria para assistir algum filme com ele. Quanto à data de sua morte, lembro bem: o triste 19 de dezembro de 1996. Até no Jornal Nacional foi notícia destaque. Quanto à data em que nasceu... essa, eu não lembro.

— 28 de setembro de 1924, amore mio. Em Fontana Liri, a cento e vinte quilômetros de Roma.

Obrigado, meu amor... sabia que tu te interessarias por esse lugar. Para ti, Mastroianni era o maior de todos. E essa foi a minha grande sorte. Quando tu partiste, ele ainda era um galã mundial e não pudeste acompanhar o seu envelhecimento, os papéis cada vez mais melancólicos. Mas te confesso uma coisa... em termos de atuação, sempre preferi Vittorio Gassman. E acho que essa é a primeira vez que admito isso. Com todo o respeito, Mastroianni às vezes era um tanto canastrão... Alice? Alô? Acho que, com essa, tu me deixaste.

Me sinto observado e olho para o lado. Pena, achei que fosses tu, mas é só uma velha, pouco mais nova que eu, de olhos arregalados e boca aberta. Ela fica olhando do túmulo para mim, diversas vezes, indo e voltando. Ficamos em silêncio, envoltos pelo mar de mármore ao redor. Então, baixo o queixo e a observo com o olhar enviesado por trás dos óculos, dando leves toques na ponta do meu nariz com o dedo indicador. Exatamente como na famosa cena de *Oito e meio*, quando Mastroianni vê a personagem de Claudia Cardinale pela primeira vez, imagem mais recordada dele como galã. A desconhecida murmura algo ininteligível, assombrada. Então, digo bu. Um bu alto e seco, a encarando. A velha se sobressalta, levando a mão ao peito, mas logo franze o cenho, com raiva. Olhando para o túmulo de Mastroianni, faz sinal da cruz. E olhando para mim, esbraveja: "Ma va fa'n culo!". Sorrio e te ouço gargalhar. Fico feliz que tu ainda estejas comigo.

— Ah, Roberto... quando foi que tu deixaste de ser engraçado?

— Acho que foi quando as coisas perderam a graça, Alice. Também faço o sinal da cruz. Ao fim do gesto, acaricio o mármore róseo que demarca a última morada do meu sósia talentoso. Estranho mundo esse, em que um astro como Mastroianni se vai e eu, um homem comum, fico.

— Já que falamos de moradas, amore mio, tu sabias que ele vivia inventando reformas nos ambientes das casas onde morou? Mastroianni era apaixonado por arquitetura. Em entrevistas, disse várias vezes que, em vez de ser ator, queria mesmo era construir pontes. Engraçado, não? O artista que sonhava com coisas pragmáticas.

É isso, Alice! Pragmatismo. Ainda há detalhes a preparar e coisas a fazer antes de partir. Olho para o relógio: o trem está marcado para daqui a cinco horas. Vai dar tempo, não é preciso correr. Mesmo assim, já tendo visto tudo o que queria ver por aqui, trato de retornar por onde vim e arranjar outro táxi. Peço ao motorista que me leve a alguma ferragem ou grande loja de materiais de construção, onde preciso fazer uma pequena compra. E mostrando alguns euros a mais, pergunto se ele pode dirigir devagar, para eu apreciar Roma. É claro que pode. Quando a gente resolve que é hora de torrar o dinheiro de uma vida inteira, tudo é possível.

— Ciao, Bello. Está pronto?
— Olá, Serena. Estou, sim.
— Pois eu, quase.

De bermuda jeans, camiseta branca, sandálias e mochila às costas, minha companheira de viagem entra em meu quarto. Parece contente com a jornada prestes a começar. Confiro os bolsos pela milésima vez: passagens de trem, passaporte, carteira, celular que não telefona, tudo certo. Refaço o plano de viagem mentalmente. Tudo certo também. A Serena, basta ir junto. Mas o que lhe falta para estar pronta? Sento na única cadeira do cômodo e observo ela tirar as sandálias e dizer:

— É só um instante.

Apenas aguardo, de braços cruzados. Serena sobe em minha cama, ficando em pé sobre o colchão. E estica os braços, de modo a alcançar o relógio papal na parede. Quase pergunto o que ela está fazendo, mas decido esperar. A ragazza, então, senta na cama com o objeto na mão, afundando na nuvem. E ao som de um clec, abre o relógio, separando o fundo plástico da foto do ex-papa.

— O que é isso, Serena?
— Provisões.

Ajeito os óculos e vejo ela tirar, da parte interna do relógio, um envelope. Dele, puxa um maço de euros e uma estranha cartela colorida, menor que um papel de carta, com minúsculos quadrados para destacar. Percebo que ela não retira todo o conteúdo, deixando uma boa parte ainda dentro do envelope. Feito isso, Serena devolve o invólucro ao seu lugar, fechando novamente o relógio, levantando e o pendurando de volta na parede. E coloca suas provisões na mochila, sem dar maiores explicações.

— Desde quando tu usas esse relógio como cofre, Serena?

— Já faz alguns anos.

— Não é perigoso? Tantas pessoas já devem ter passado por esse quarto, poderiam ter descoberto.

— É o esconderijo perfeito. Ninguém gosta desse papa. Quem é que vai mexer no relógio do Bento XVI? Na loja do Vaticano, seus produtos encalham.

— E por que não deixas o relógio no teu próprio quarto? Ou no depósito?

— Você conhece minha mãe. Nada escapa aos seus olhos.

Serena calça as sandálias e vem em minha direção. Ofereço o braço, ela se encaixa e juntos saímos, trancando a porta. Ao descer, paramos no segundo andar. Sonia Felice nos aguarda, de avental, parada com as mãos para trás junto à porta. O perfume de alho salteando na manteiga nos convida a permanecer. Mas temos um trem para embarcar.

— Figlia, aspetta.

Signora Felice, a que nunca foi senhora, leva as mãos à frente e mostra a garrafa de vinho de Serena, sem rótulo e cheia de algum tinto que, com certeza, em breve degustarei. Minha companheira de viagem dá um tapa na própria testa e agradece efusivamente a lembrança da mãe. As duas se abraçam com força, sem dizer nada. É quando percebo a presença de Luigi, o dono da loja de vinhos favorita de Serena, dentro do apartamento, sentado à mesa como quem é de casa. Quando vê que o notei, se levanta e vem até a porta, me cumprimentando e enlaçando Sonia pela cintura. Minha senhoria e eu nos encaramos por um breve momento e ambos sorrimos de leve, apenas um repuxar de lábios. Ela ergue uma sobrancelha. E eu dou de ombros, como quem diz "fazer o quê?".

Enfim, descemos. E logo estamos fora do palazzo, onde somos recepcionados por mais uma tarde de março, plena de sol. Serena se volta à tela de seu celular, tentando nos arranjar um desses táxis de aplicativos, já que está muito quente para arrastar mala e carregar mochila pelas ruas. Nesse momento, vindos pela rua, se aproximam Agustín, Andras e Noelia, meus vizinhos que mal conheci, rindo e falando alto. Parecem uma propaganda de Coca-Cola.

Ao nos ver, eles nos saúdam e Serena tasca um beijo na bochecha de cada um.

— Sei veramente brava — diz Andras, o grande rapaz húngaro de cabelo raspado, sorrindo para a minha acompanhante e arriscando um italiano enrolado.

Ela não entende o comentário elogioso, dito assim, do nada. E por isso, pergunta:

— Grazie, ma... perché, Andras?

Como resposta, ele aponta para a fachada do palazzo. Seguindo o seu dedo com o olhar, Serena enfim compreende o elogio e arregala os olhos, deixando um sorriso desabrochar devagar. É raro vê-la assim, estupefata, como se visse algo que nunca viu. Fico feliz. Flagrar essa menina surpresa é como presenciar uma aurora boreal, estar presente na erupção de um vulcão, testemunhar a queda de uma árvore milenar. Porque para ela tudo é possível. E é difícil arrebatar alguém assim. Difícil, mas não necessariamente complicado. É o que prova a pichação na parede diante de nós. E é nisso que penso enquanto, a assoviar, reparo que minhas unhas ainda estão sujas de tinta spray.

BRAVA
~~TI AMO~~ SERENA ~~ZOCCOLA~~

O barulho cadenciado, o ambiente climatizado e o tênue balançar do trem são uma convocação ao relaxamento. Em uma cabine privativa, Serena e eu desfrutamos da apocalíptica harmonização de salgadinhos Doritos com um robusto vinho tinto. "Vino Primitivo di Puglia... mais um tesouro vindo do salto da bota", ela ensina, desenhando o mapa da Itália com o dedo no ar. Deitados cada um em um dos largos e acolchoados bancos, alcançamos os petiscos e a bebida um para o outro com um esticar de braço. Assim, ocupamos sozinhos este compartimento de primeira classe, feito para até seis pessoas.

— Mais Doritos, Bello?

— Não, obrigado. Mais vinho?

— Claro. Por que você diz que perdeu a sua filha?

Paraliso com a súbita troca de assunto e ficamos os dois segurando a garrafa sem rótulo, até que Serena a puxa para si e prossegue:

— Não perguntei antes porque esse parece ser um assunto muito duro para você. Mas temos uma longa viagem pela frente e, uma hora ou outra, você sabe que chegaríamos nessa questão.

— Sim, imaginei. Mas também poderíamos falar sobre o teu pai perdido.

— Eu nunca disse que o perdi, como você. Na verdade, foi ele quem perdeu a mim e à minha mãe, se quer saber o que penso. Além disso, imagino que mamma já deve ter lhe dado um bom resumo dessa história. Já a sua filha, essa sim continua sendo um mistério. Então... o que houve, Bello?

— Na verdade, não aconteceu nada. É justamente esse o problema. Não nos falamos há mais de dez anos e não há nenhuma boa razão para isso.

— Parece estupidez.

— Concordo.

— E por que não a procura?

— "Você tem razão em caçoar de mim... quando pais resolvem se inteirar da vida dos filhos, assim de repente e tudo de uma vez, se tornam patéticos. Subitamente, querem saber tudo o que não souberam por anos, recuperar o tempo perdido. Como estudantes que durante o ano não estudam nada e, então, uma semana antes dos exames... é, você tem razão em caçoar de mim".

— Está louco, Bello? Não estou caçoando de você.

— Eu sei. Isso que eu disse é uma fala do filme *Que horas são?*, com Mastroianni já velho, interpretando um pai que nunca soube conversar com o filho e resolve passar um dia com ele, quando este já é adulto. Nunca esqueci da cena em que ele diz essas coisas.

— E por causa de um filme você não falou mais com ela?

— Não, nada disso. Eu apenas não sabia... não sei o que dizer. Nunca rompemos, nem brigamos. Nos afastamos, e só. Acho que Clara aguentou minha companhia até onde pôde. Entenda... Alice faleceu pouco antes dela fazer três anos. Então, me tornei pai e mãe ao mesmo tempo. Mas acho que me faltou talento para os dois papéis. Fiz o melhor que pude para criar uma menina normal... mas as coisas não saíram como planejei.

— E o que você planejou?

— Já disse: que Clara tivesse uma vida normal.

— E o que aconteceu?

— Quando criança, tudo parecia bem. Clara era um anjo. Estudiosa, alegre e obediente. Aí veio a adolescência e algo se quebrou dentro dela. Ou dentro de mim... Essas coisas são difíceis de explicar.

— Afinal, Dio Santo, o que sua filha fez?

Ficamos um longo momento calados, com o crocante mastigar dos salgadinhos e o tchac tchac tchac do trem brigando com o silêncio. Faz muito tempo que tento evitar a lembrança do exato dia em que perdi Clara... mas a verdade é que consigo lembrar como se acontecesse agora mesmo.

— A lasanha está muito gostosa, filha. Parabéns.

— Fico feliz... preparei esse jantar com muito carinho, pai. Sei como tu gosta desse prato.

— Obrigado, Clarinha.

— ...

— ...

— Pai... precisamos conversar.

— Claro, diga.

— Eu... gostaria que o senhor ficasse sabendo... de uma coisa sobre mim. Algo que não quero mais esconder.

— Mas, filha... não há nada que tu precises esconder de mim.

— Eu não gosto de homens.

— Quais homens?

— Não falo de nenhum específico. Não gosto de homens em geral. Digo, não afetivamente. Esse também não é um bom termo... quer dizer...

— Como assim, Clara?

— Eu sou homossexual, pai.

— ...

— Pai?

— Hm?

— O senhor ouviu o que eu disse?
— Ouvi.
— E não tem nada a dizer?

Nunca vou esquecer do gesto que fiz naquele momento. Após um longo hesitar, estiquei minha mão vacilante e coloquei sobre o joelho dela. E pensei comigo: "Veja, filha... veja como, apesar disso, ainda toco em ti". Sempre fiquei aliviado por não ter dito isso. Teria sido horrível. Porém, como eu não disse nenhuma outra coisa, o silêncio foi quase tão ruim quanto. Logo tirei a mão de seu joelho. E tudo o que consegui dizer foi uma mentira:

— Entendo.

Tchac tchac tchac. Serena se senta em seu banco e me observa. Um olhar sem julgamento. Que não condena, nem absolve.

— E depois, Bello?

— Continuamos a jantar, em silêncio. E nunca mais tocamos no assunto. Na verdade, também não tivemos muitos outros assuntos depois desse. Já fazia tempo que não sabíamos mais conversar. Nos tornamos duas pessoas morando juntas, nada mais. Ela passava de ano no colégio, eu pagava as contas, e só. Alguns meses depois da... revelação, Clara decidiu sair de casa, morar com amigos. A partir daí, só nos falávamos quando ela me visitava ou telefonava. Jamais a procurei. Ficava em casa, esperando ela aparecer, louco para que viesse ou ligasse. Nunca soube como lidar, qual a norma de etiqueta, qual o protocolo diante de uma situação como aquela. E eu não tinha com quem conversar a respeito. Sentia vergonha de contar aos amigos, buscar conselhos.

— Confesso que achava que essas coisas não aconteciam mais hoje em dia. Esse seu rompimento com a filha me parece tão... fora de época.

— Entenda, Serena: eu sou fora de época. Estou obsoleto. Hoje, vejo que bastava ter dito que estava tudo bem. "Não muda nada, filha. Estarei sempre aqui", ou algo assim. Simples, não? Hoje, tudo é normal. Mas, por incrível que pareça, no final dos anos 90 ainda não era assim. Não fui um pai da década de 50, que espancava os filhos e expulsava de casa. Nem um pai moderno, que abraça e acolhe. Eu... travei. Por isso, compreendo o que se seguiu. Clara tinha vinte e um anos, já era adulta. Por isso, ela foi, pouco a pouco, deixando de dar satisfações e contar seus planos. Eu oferecia dinheiro, ela não aceitava. Eu não fazia perguntas, ela calava também. E, assim, foi parando de me procurar... sumindo e sumindo, até eu só saber dela através de conhecidos ou notícias de seu trabalho, que minha secretária procurava para mim. Admito que, de início, não aceitei a sua profissão, mas também jamais a impedi de praticá-la. Ela é cantora e compositora, sabe? Voz e violão. Faz pequenas turnês cantando música latina em bares pelas Américas. Shows intimistas, que acompanho como posso, à distância. Mas nunca a procuro. Porque, no fim das contas, não quero atrapalhar. Ela está se saindo muito bem. Está melhor sem mim.

— E ela também nunca mais tentou contato?

— A última vez foi um recado deixado na secretária eletrônica do meu celular, dez anos atrás. Esse Nokia velho, que tu gostas de dizer que não serve para nada. Bom... serve para ouvir a voz dela.

Saco o telefone do bolso e reproduzo a gravação. Quando termina, minha companheira de viagem fica pensativa. Apenas aguardo, pois ela sempre tem o que dizer.

— Não tenho o que dizer, Bello... só tenho isso.

Serena me estende a garrafa de vinho. E bebo um longo gole.

*C*ulpo o mal de Stendhal. Síndrome nascida aqui mesmo, em Florença, no século XIX. Certamente, fui acometido por esse raro mal, decorrente do excesso de exposição à arte e ao belo. Nobre patologia, que assola as almas mais iluminadas. Segundo a literatura médica, trata-se de uma sensação de vertigem causada pela sobrecarga dos sentidos quando expostos a ambientes de extrema beleza, cuja primeira ocorrência aconteceu quando o autor francês que dá nome à síndrome teve uma síncope diante de um afresco florentino. Assim como ele, mal consigo respirar diante de tanto esplendor.

— Conta outra, Bello. Você está fora de forma, isso sim.
— Tu queres que eu... me sinta como... depois de subir... uns trezentos degraus... Serena?
— Quatrocentos e sessenta e três degraus, na verdade.
— Como... tu... sabes?

Minha acompanhante, aparentemente imune à epopeia escalar que acabamos de enfrentar, mostra seu celular. Na tela, um site cujo texto não posso ler, pois tirei os óculos para enxugar o suor da testa. Ofegante e à beira de cãibras, só consigo reconhecer a fotografia da paisagem de Florença vista do alto da Piazzale Michelangelo. O Duomo despontando em meio ao mar de prédios baixos e amarelados, o Rio Arno cortando a cidade com suas águas douradas. Ao perceber isso, desvio o olhar do telefone. Afinal, não faz sentido ver através de uma tela a paisagem que está bem à nossa frente. Me apoio na murada da piazzale e tiro alguns minutos para me recuperar, após subir até aqui puxando a mala, em vez de primeiro ir para o hotel. Tudo porque não queria perder o pôr do sol fiorentino. Conseguimos, meu amor... mais de quarenta anos atrás, perdemos o espetáculo por causa da chuva. Hoje, ele não nos escapa.

— Você me subestima, Bello. Sei muito bem o que é o Mal de Stendhal, não precisava essa explicação toda.

— Quando estive aqui... com Alice... também quase morri com essa escadaria... mas, na época... não sabia dessa desculpa... sempre quis usá-la...

— Pois saiba que eu teria dito o mesmo que Serena, amore mio: conta outra.

Ao te ouvir, olho para Serena, que acende um de seus raros cigarros, como se caçoasse do exercício que acabamos de fazer. Ela não pode te escutar, Alice. E sorrio para o nosso segredo.

— Vamos tirar uma foto, Bello?

— Para quê?

— Para colar no teto do meu quarto.

— Tudo bem.

Viramos de costas para a vista. E, de braço bem esticado, Serena tira a nossa foto com seu celular, enquadrando Florença ao fundo. Vendo o resultado, ela me diz:

— Ficou linda. Vou enviar para a sua filha.

— O quê?! Não era para o teu teto?

— Também, mas ainda vou ter que imprimir quando voltarmos a Roma... mandar para a sua filha vai ser bem mais rápido.

— Mas não sei onde ela está!

— Nem eu. Mas vou descobrir. Não a encontrei nas redes sociais, mas a internet estava ruim dentro do trem. No hotel, procurarei melhor.

De cenho franzido, abro a boca, com a intenção de repreendê-la, pedir para que não faça isso. Mas sinto uma brisa fresca vinda do Arno e me contenho, voltando minha atenção mais uma vez ao sol, que começa a acelerar sua descida.

— Não vais contar para Serena que nossa filha adotou um nome artístico, Roberto?

— Não, Alice.

Serena me olha de soslaio. Parece estranhar que eu não tenha esbravejado contra sua ideia. Sorrio por dentro, mantendo o semblante sério. Em silêncio, apenas contemplo o crepúsculo. Minha companheira de jornada não resiste e, fuçando no celular, ainda diz:

— Tive uma ideia melhor. Não vamos mandar essa foto para a sua filha.

— Ah, não?

— Vamos mandar uma foto sua com Ambra, direto de Brescia. Muito mais impactante.

— Claro.

Deixamos a murada e nos encaminhamos à parte da escadaria que serve como arquibancada para quem vem assistir ao pôr do sol do alto da piazzale. Serena alterna sua atenção entre a vista, o cigarro e o celular. E segue procurando por Clara, internet afora, entretida. Fico tranquilo. Tenho certeza de que esquecerá essa busca assim que chegarmos ao Saint Regis, nosso hotel cinco estrelas. Então, só me resta aproveitar o momento, vendo o céu alternar suas cores entre mil tons de laranja e rosicler.

Quando o sol toca o horizonte, Serena põe seus fones de ouvido. Procura uma trilha sonora que combine com o final deste espetáculo. Aproveito a sua distração e pergunto baixinho:

— Então, Alice? Valeu a pena esperar tanto por esse pôr do sol?

— Valeu, amore... claro que valeu.

Serena tira os fones. E diz, rindo:

— Falando sozinho, Bello?

— Sim.

— Você anda muito esquisito. O que você tem?

— Velhice. Mas não te preocupes... tu chegas lá.

É como se meu corpo fosse um campo de batalha. De um lado, os órgãos que pregam o fim da liberdade gastronômica. Do outro, o exército que, liderado pelo coração, luta pelo fim da tirania das dietas. Neste momento, sinto o ataque da primeira armada, que me açoita com agulhadas estomacais. Porém, após as pizzas do jantar de ontem e do majestoso café da manhã de hoje, consigo imaginar as tropas do coração já planejando a próxima refeição terrorista.

— O que vamos almoçar, Bello?

— Me fazia a mesma pergunta, Serena.

Após duas horas de caminhada, vimos apenas uma fração das obras da Galleria degli Uffizi, tesouro fiorentino e um dos museus mais importantes do mundo. Ao contrário do que imaginei, minha acompanhante se mostra interessada nas obras renascentistas. Até parece tu, meu amor, indo para lá e para cá com o teu guia, já amassado de tanto folhear. Só que agora o celular de Serena substitui o teu livro. O museu pouco mudou nesses anos todos e é acolhedor reencontrar as obras de Giotto, Da Vinci, Michelangelo e Botticelli. Este foi o único passeio que fizemos na cidade chuvosa que encontramos há quase meio século. O resto do tempo, passamos no hotel. Possivelmente, concebendo Clara.

— No que você está pensando, Bello?

— Hm?

— Desde que saímos de Roma, você tem estado cada vez mais estranho. Às vezes, parece que há mais alguém nos fazendo companhia. Tenho a impressão de que você está falando sozinho o tempo todo.

— Mas já disse que estou.

— Seja lá o que você está tomando escondido, quero também.

Quando termina de dizer isso, seu estômago ronca e ambos rimos. Já é quase meio-dia e basta de arte por hoje. Do Uffizi, saímos a degustar as delícias da capital da Toscana. Almoçamos uma bisteca fiorentina, orgulho local. E desbravamos as estreitas ruas medievais, experimentando de tudo. Entre cannoli e cafés, de gelato em gelato, chegamos ao suntuoso Palazzo Pitti, visitamos o verdejante Giardino di Boboli, espiamos as joalherias da Ponte Vecchio e bancamos os ridículos andando no colorido carrossel da Piazza della Repubblica. Por fim, ele: o monumental Duomo di Firenze.

— Quando estive aqui da outra vez, choveu muito. Da janela do hotel, Alice e eu vimos somente o topo dessa catedral. Não era possível vir até aqui sem se encharcar. Ela queria vir mesmo assim, mas não deixei. Ainda tínhamos muita viagem pela frente para pegar um resfriado.

— Você já era um chato então.

Que tal, meu amor? Serena tem razão: essa monumental catedral, com seus entalhes em branco, verde e rosa, é magnífica. Vale mesmo uma gripe.

— Aí está você, Bello... falando sozinho de novo.

— Tu podes fazer o favor de me deixar ser esclerosado em paz?

Assim, o dia se vai, após uma parada para cafés e degustações no Mercado Central. O apetite de Serena me contagia e me sinto como o bêbado que, para fugir da ressaca, bebe mais. Sei que ainda pagarei o preço. Mas não hoje.

De volta ao Saint Regis, em nossa câmara com vista para o Arno, sento pesadamente em uma poltrona enquanto minha acompanhante ataca o frigobar. Serena não para de sorrir, satisfeita por estar em um hotel tão refinado. Um quarto de conto de fadas, com pé-direito alto, poltronas estofadas com veludo, entalhes em gesso no teto, papel de parede barroco e duas grandes camas com dossel. Uma das suítes mais caras de toda a Toscana, à disposição de uma jovem habituada a vinhos sem rótulos.

— Bello, quanto custa a diária deste quarto?

— Prefiro não saber.

— E como você paga então?

— Cartão de crédito.

— Não sabia que você era rico.

— Não sou. Mas tenho tudo sob controle.

— Va bene... só tome cuidado para não gastar todo o seu dinheiro antes de conhecer Ambra. Não é a mim que você deve impressionar. Ela que é a pop star.

— Não estou preocupado com isso.

— Não está nem um pouco ansioso para chegarmos a Brescia? Não está nervoso pela possibilidade de realmente ficar cara a cara com Ambra?

— Vamos viver essa viagem um dia de cada vez, sim?

Ela leva as mãos à cintura, de costas para a grande janela do quarto. O contra luz do entardecer faz com que eu não consiga ver sua expressão. Mas tenho a impressão de que, mais uma vez, ela vai dizer que ando esquisito.

— Bello...

— Diga, Serena.

— O que vamos jantar?

Passo a mão em minha barriga inchada e respiro fundo. Como um velho guerreiro, exausto dentro da enferrujada armadura, pondero se ainda tenho forças para mais uma batalha. Mas minha amiga, que se aproxima de mim, me estende a mão. E, com o apoio dela, me ergo da poltrona aveludada. Avanti!

Graças ao celular de Serena, encontramos o discreto restaurante sugerido pelo concierge do Saint Regis. Uma trattoria afastada do centro, onde se pode encontrar verdadeiros italianos comendo entre os turistas. Segundo o conselheiro, trata-se de um local perfeito para jantar a dois. "No caso, avô e neta", tratei de dizer, constrangido, como na cena em que Mastroianni passa pela mesma situação em um hotel de Florença, ao lado da jovem Nastassja Kinski no filme *Tentação proibida*. Ao que o concierge apenas sorriu, cúmplice de um crime não cometido, complementando que o estabelecimento dá tratamento especial a brasileiros. Achei péssimo. Mas Serena, que na chegada ao hotel preencheu sua ficha afirmando ser brasileira, considerou imperdível.

— É aqui, Bello.

— Não parece grande coisa.

— Não se esqueça: você é italiano, eu sou brasileira. Vamos nos divertir.

— Não seja ridícula. Vamos entrar, jantar e voltar ao hotel. Estou exausto, comemos e caminhamos o dia todo. O que foi, por que estás parada? Não vamos entrar?

— Só entro depois que você começar a falar italiano com sua sobrinha brasileira.

— Ah, mas vá... bene.

Somos recepcionados por um sisudo garçom de avental vermelho e careca reluzente. O homem, mais ou menos da minha idade, nos conduz desanimadamente até a única mesa vaga, próxima a uma das janelas. Ele acende uma vela, apresenta os cardápios e sai de cena.

— Ei... por favor, amigo.

Ao chamado de Serena, em desavergonhado português, o homem retorna.

— Prego, signorina.

— Me disseram... que aqui... brasileiros... atendimento especial!

Gesticulando e falando alto, bem devagar, como se isso tornasse o português mais compreensível, minha acompanhante faz com que eu e o garçom reviremos os olhos. Mas devo admitir que sua atuação como turista brasileira é impecável.

— È vero, signorina... un secondo, per favore.

Ele nos deixa e vai conversar com a funcionária posicionada no caixa. Serena dá uma piscadela para mim e abre o menu diante de seu rosto, distraindo-se. A mulher atrás do balcão, após ouvir o garçom, também revira os olhos, me fazendo pensar que esta é uma situação recorrente. Ela sai de seu posto e some por uma porta com janela redonda, provavelmente o acesso à cozinha. Sem apetite, corro os olhos pelo restaurante, uma trattoria veramente italiana. Nas paredes, quadros de família e um desbotado pôster do time local, a Fiorentina, campeã italiana de 1969. Ao redor, mesas com toalhas vermelhas, luz amarelada, som de conversas e talheres. Olho mais uma vez para minha amiga, que desliza o dedo pela lista de pratos, vivendo o dilema de ter que escolher apenas um. Vendo-a assim, tão feliz, só me resta entrar no seu faz de conta, a bobagem do tio italiano e sua sobrinha brasileira. Por isso, abro um sorriso teatral quando o chef surge diante de nós, todo de branco. E leio, em seu avental, um nome bordado com letras miúdas:

A. BIANCHI

— Benvenuti al Vecchio Gennaro. Brasiliani, hã?
Com ar cansado, o chef tira o comprido chapéu de cozinheiro. Um homem de feições amistosas, também aparentando minha idade, talvez um pouco mais. De vastos cabelos cinzentos, um pouco compridos, e a postura de quem um dia já foi galã, apesar da pança.
— Buonasera, signor Bianchi. Mi chiamo Roberto Bevilacqua, sono di Napoli. E questa è la mia nipotina brasiliana, Serena.
Todos trocamos apertos de mãos. Quando cumprimenta Serena, ele subitamente perde o ar cansado, beijando sua mão. E nos diz:
— Bem, senhor Bevilacqua, falemos português então. Em respeito à dama.
Apenas concordo, meneando a cabeça. E minha sobrinha diz:
— É verdade que aqui os brasileiros têm tratamento especial?
— Sim, è vero. Tenho fortes ligações com o seu país. De onde você é?
— San Paolo.
Logo de cara, Serena se entrega, ao dizer São Paulo com sotaque italiano. Mas ela não percebe e me dou conta de que eu mesmo não sei como é o sotaque napolitano. De qualquer forma, o experiente chef apenas comenta:
— Claro, uma paulista... era o meu palpite.
— O senhor parece conhecer bem as brasileiras.

— Por favor, não me chame de senhor. Pode me chamar de... pensando bem, é melhor continuarmos assim. Toda intimidade com uma bela dama é um caminho sem volta.
— Uau.

Serena se abana, sorrindo, e signor Bianchi olha para mim como se de repente lembrasse que estou aqui. "Parabéns pela encantadora sobrinha", ele diz. E seu tom me faz supor que além de não engolir nossa história, o chef talvez tenha criado outra sobre a verdadeira natureza dessa relação tio-sobrinha. Sinto um ímpeto de tentar explicar, dizer que somos apenas amigos, mas eles logo voltam a flertar um com o outro. Só pelo esporte. Parece uma dança ou um jogo em que os dois atuam no mesmo time, com o objetivo de não deixar a bola cair.

Após mais alguns instantes de conversa, signor Bianchi finalmente pergunta se já escolhemos. Serena pede spaghetti alle vongole, famoso molho no qual os pequenos moluscos são refogados com alho, azeite, salsa e vinho branco. "O prato favorito de Sophia Loren", diz o chef com a mão sobre o coração. Ao que Serena, sorrindo e projetando o decote de sua blusa para frente, responde: "Tudo o que você vê, devo ao espaguete". A célebre frase da maior atriz italiana, eterna parceira de tela de Marcello Mastroianni. "Han-han", pigarreio. E peço tagliarini bolognese, em homenagem à nossa próxima parada. O chef apenas diz que "va benissimo". Mas provoca, sugerindo que, devido ao meu sobrenome, provavelmente eu queira pedir água para acompanhar.

— E para a senhorita... um vinho?
— Sempre, senhor Bianchi.

Diante da resposta, o olhar do cozinheiro brilha. Tenho absoluta certeza de que ele sabe muito bem que Serena é italiana, assim como sabe que eu não sou. Mas não demonstra. Apenas aceita o jogo, experiente jogador que é. Sem medo do ridículo, da pecha de velho ou de quem revira os olhos quando os outros estão se divertindo.

— Você me lembra de uma pessoa, senhorita... uma velha história.

— De amor?

À pergunta de Serena, ele silencia. E seu olhar nos atravessa, como se visse alguém que só ele pode ver. Me assusto, achando que és tu, Alice. Mas logo me dou conta de que cada um tem os seus fantasmas. Então, signor Bianchi diz:

— Vocês estão com tempo?

Em resposta, empurro uma cadeira vazia na direção do chef. Ele ri e senta conosco, enquanto Serena afaga meu braço, orgulhosa de meu gesto. Mas não foi nada demais. Afinal, em toda a Itália, não há quem não tenha tempo para uma boa história de amor. Seja para viver, seja para recordar.

*A*pesar da escuridão, me desloco pelo ambiente com a desenvoltura de um animal noturno. Em meio a tantas silhuetas sem rosto, procuro em lugar vazio com a mesma facilidade que teria se as luzes estivessem acesas. Talvez porque o cinema seja o habitat mais favorável ao homo sapiens. Aconchegante, isolado, sem predadores. Não é à toa que os seres humanos se fecham espontaneamente dentro deles. Como ratinhos no laboratório, hipnotizados por uma projeção e pelo som de pipocas, que soam como chuva lá fora.

— E quem não gosta de filmes, Roberto?
— Hm?
— E quem não gosta de filmes?
— O que é que tem, Alice?
— Você diz que cinemas são os lugares mais favoráveis ao ser humano. Mas tem gente que não gosta de filmes. É uma loucura, eu sei, mas existe.
— Mas eu não disse nada, estava apenas pensando. Como tu fizeste para...
— Ali! Lugares vagos! Vem!

Tu me pegas pela mão e me conduzes pelas escadas, com o cabelo a balançar diante de mim. Teu olhar está voltado para algum ponto que ainda não identifiquei entre as fileiras de cadeiras... ah, sim, ali estão! Assentos vazios. Enquanto tu me levas aos nossos lugares, penso em uma resposta. "Quem gosta de filmes assiste. Quem não gosta dorme. Já dormiste no cinema, meu amor? É uma bela soneca". Mas o momento passou... como sempre.

— Que sorte, Roberto! Três assentos vagos, bem na fila central.

— Que filme vamos assistir, Alice?

— Um do Mastroianni.

— Qual?

— E importa?

Sentamos e a projeção começa imediatamente, como se estivesse nos esperando. Mas não consigo assistir os trailers. Só vejo o teu rosto, o semblante compenetrado sob o facho de luz. Teu perfil delicado e sorridente me confunde. Às vezes, tu és Ambra. Às vezes, tu és tu, que se vira para mim e diz:

— Onde está Clarinha?

A pergunta me pega de surpresa. Tento lembrar onde nossa filha está, mas tudo parece ainda mais confuso. E tu, mais uma vez, lês meus pensamentos:

— Como assim, não sabes onde ela está? Tu só tinhas que ficar ao lado dela.

— Fiz tudo o que pude, Alice... ensinei a rezar, matriculei no inglês e no italiano, que ela trocou pelo espanhol. Também inscrevi no balé, que ela pediu para trocar por aulas de violão. Sempre cedi. Levava e buscava nas festas, pedi para esperar o rapaz certo, se guardar. Ela ria, sempre com uma amiga diferente, dizendo que eu não precisava me preocupar com cara nenhum. Cuidei de febres, segurei seus cabelos para que vomitasse, carreguei no colo quando dormia no sofá. Levei ao pediatra. Ao ginecologista. Só da primeira vez, depois ela não quis mais que eu fosse. Não sei o que houve. Onde foi que...

— Shhhhh!

O chiado, pedindo silêncio, vem do outro assento ao meu lado, até então vazio. Não mais.

— Filha! Veja, Alice! Aí está ela!

— Oi, pai. Oi, mãe.

Clara sorri sem abrir os lábios, como uma represa prestes a estourar. Ainda surpreso, lhe digo:

— Tu estás igual à última vez que te vi, filha.

— Obrigada, pai. É um belo elogio, depois de tantos anos.

Sentado entre vocês duas, agora só vejo Clara. Seus cabelos negros e curtos, os óculos refletindo a luz da projeção. Ali está, o piercing no nariz, brilhando para mim. Um ferrinho pequeno demais para ter causado tanta polêmica quando ela colocou. Fiz tudo errado. Quando não era para tanto, eu discursava. Quando ela mais precisou que eu falasse, calei.

— Shhhh!

Agora és tu que pedes silêncio, meu amor. E me volto para a tela, sentindo os ombros relaxarem, as costas escorregarem no assento, como lava a descer pela encosta. Enfim, reconheço o filme que está passando: *Estamos todos bem*, de 1990. Sobre um velho que viaja pela Itália para rever os filhos adultos, visitando-os de surpresa. E, um por um, eles vão mentindo para ele sobre suas vidas, escondendo fracassos, subestimando e infantilizando o velho pai. Um dos últimos filmes com Mastroianni. Quando ele já tinha essa cara que tenho hoje.

Então, me dou conta de que este é um filme recente demais para eu poder assistir contigo, que morreu em 1980. E antigo demais para assistir no cinema com Clara adulta. Louco de saudades de vocês duas, me desespero. E tento me agarrar a essa miragem, torcendo para que o filme nunca termine. E por que isso não seria possível? Sim, se eu me concentrar, talvez a ilusão continue... afinal, o que é o cinema, se não uma alucinação coletiva em ambiente climatizado?

Um estrondo me faz abrir os olhos. Desnorteado e ofegante, me deparo com Serena, sentada diante de mim na cabine privativa do trem. De pernas cruzadas, toda curvada, cortando as unhas dos pés. A cada plic do pequeno cortador, um raio lá fora, rasgo branco no céu cinzento. Observo minha companheira de viagem por alguns instantes, compenetrada em sua tarefa. Até que, sem tirar os olhos do dedão do pé, ela diz:

— É, Bello... nisso que dá dormir de barriga cheia.

Bolonha. Capital da província Emília-Romana, localizada entre os rios Reno e Ravena. Uma cidade vibrante, sede da universidade mais antiga do ocidente ainda em atividade. Onde estudantes de todas as partes do mundo se perdem e se encontram, em um labirinto de prédios de telhas vermelhas, indo e vindo entre a Basilica di San Petronio, a Torre degli Asinelli e o Palazzo Re Enzo. Vistas de cima, as pessoas devem parecer pequenos nacos de carne, deslizando através de um fervilhante e espesso molho bolonhesa. Que, para os bolonheses, se chama apenas ragu.

Enfim, uma cidade cheia de atrativos, que não poderemos desfrutar por estarmos ilhados no hotel, assistindo a chuva açoitar as janelas. Já faz quase uma hora que nos vemos assim, entediados, na imensa recepção coberta de mármore. Eu, com as mãos entrelaçadas às costas, paletó e chapéu ainda molhados do curto trajeto de dois passos entre o táxi e o edifício. Serena, a dedilhar o celular, de fones nos ouvidos e vestindo o capuz do moletom. De quando em quando, surge um clarão. Depois, vem o estrondo. Que faz tremer o enorme lustre de cristal que ilumina o saguão do Grand Hotel Majestic.

Após mais alguns minutos de ócio, minha companheira de viagem tira os fones e diz:

— Bem... você sabe, Bello. Só nos resta uma coisa a fazer.
— Dormir?

— Não. Comer.

— Pensei que diria beber.

— Veja só, já são três coisas que podemos fazer. Que belo dia.

Nos encaminhamos para o restaurante do hotel, um amplo salão com piso de parquê dourado, bem polido, e teto abobadado, coberto de afrescos. Somos recebidos por um maître de gravata borboleta, de cabelos colados ao crânio com gel e bigodinho à la Mastroianni no filme *Divórcio à italiana*. Com a severidade de quem parece não sorrir há cem anos, o homem nos conduz a uma mesa específica, escolhida por ele, apesar de estarem quase todas desocupadas. Já passam das três da tarde e, do almoço, só restam os comensais retardatários. Sob o eco de nossos passos, tudo parece um grande festival da frescura. Uma vez sentados, o maître nos oferece babadores de linho branco, que só Serena aceita, sorridente. Acho que o maître tenta sorrir de volta, erguendo de leve o lábio superior, mas isso não fica claro. E quando finalmente somos deixados a sós, resolvo pegar o menu.

— Largue isso, Bello.

— Por quê?

— Não pedir um ragù seria como ir a Roma e não ver o Papa.

— Mas eu nunca vi o Papa. Tu já o viste?

— João Paulo II, duas ou três vezes, no papa-móvel... Francisco, só uma vez.

— E que tal?

— Prefiro o ragù.

Chamo um garçom e peço antipasti della casa como entrada, tagliatelle al ragù como primeiro prato, filés altos como segundo prato e uma garrafa de Sangiovese Superiore, tinto especial da região. Quando termino o pedido,

Serena bate palmas e me congratula pela desenvoltura no italiano e pela escolha da bebida. Um vinho seco na medida certa, de coloração intensamente violácea, ela diz, enóloga de fim de semana. Que em breve vai ter os tais tons violáceos pintados nos lábios.

Primeiro, o antipasti. Uma cesta de pães aquecidos, de diversos formatos e levemente salgados. Cada fatia, uma nau que aguarda o embarque de finíssimas fatias de mortadela, outro tesouro bolonhês. Salames em variados estágios de maturação, carnudos nacos de presunto parma, queijo parmesão em voluptuosas lascas e um molho de tomates macerados em azeite com vinagre balsâmico também se apresentam para embarcar. Eis o grande desafio da hora do antepasto: não comer a ponto de perder o apetite antes dos pratos principais. Serena, percebendo minha hesitação, dá a dica:

— O importante é sempre renovar o paladar. Se você come a mesma coisa o tempo inteiro, a língua cansa, o maxilar vacila. Vá devagar, deguste um pouquinho de cada alimento, saboreando um pouquinho daqui e dali, pulando do salame para o queijo, do queijo para o presunto, do presunto para a mortadela. Com constantes goles de vinho entre uma coisa e outra.

— E quando vier a massa?

— Um bocado de tagliatelle com menos molho, depois com mais molho, depois com azeite, então um pedaço de filé, filé com o molho da massa... e assim você vai levando, com o vinho renovando o paladar e intensificando sabores. Dá pra ficar horas comendo, sem parar. O segredo é não entediar o cérebro. É científico, Bello. Vá por mim.

O tagliatelle se apresenta, deslizando diante de nós graças às hábeis mãos do garçom, sempre seguido de perto pelo sisudo maître. E assim, respeitando os avanços da ciência, vamos de sabor em sabor, rumo aos filés. E destes, à sobremesa: profiteroles, o doce da discórdia, criado na França por um italiano. Alheios à disputa de paternidade da iguaria, devoramos os bolinhos recheados com creme e cobertos por calda quente de chocolate. Degustamos tudo com vagar, fechando os olhos a cada garfada. Quando as luzes do salão se acendem, percebemos que anoiteceu. Passamos a tarde comendo.

— Bom, Serena... agora sim, só nos resta dormir. Uma pena. Amanhã cedo, seguiremos viagem e não teremos visto nada de Bologna.

— Mas isso é Bologna.

Frisando o "isso", ela faz uma reverência, braços estendidos sobre a mesa. Indicando os pratos, travessas e taças vazias, mostrando os talheres sujos e as manchas de vinho e comida na toalha bordada. Um campo de batalha.

— Que bom que pensas assim... temia que essa viagem fosse maçante para ti, mas vejo que estás te divertindo.

— Ainda nem começamos a nos divertir, Bello. Minha ideia para essa noite vai muito além de dormir.

— Com essa chuva, não vou a lugar nenhum. Mas se quiseres sair, fica à vontade. Só volta a tempo de pegarmos o trem amanhã de manhã.

— Também não vou a lugar algum. Vamos passar a noite no quarto. E não vai ser dormindo.

— Mas, Serena...

— Confie em mim.

Constrangido, olho para o maître, de soslaio. Ele também nos espiou com o canto dos olhos a tarde inteira. Fico na torcida para que ele não esteja entendendo nada dessa conversa. Assim como eu.

— Tu só podes estar brincando, Serena!
— Estamos sozinhos, não devemos nada a ninguém e os outros só saberão se você disser. E mesmo que você resolva contar, acho que não vão acreditar que você fez isso.
— Desiste, Serena. Não vai acontecer.
— Tarde demais.
— Como assim?
— Em primeiro lugar, sente-se. Você não tem mais idade para ficar nervoso assim.
— Nem para isso que tu queres que façamos!

Serena ri e levanta da poltrona onde estava, se aproximando. Parado à porta, cruzo os braços à altura do peito, contrariado, mas meus protestos a divertem. Se enganchando em mim, ela me conduz por nossa enorme suíte, onde a decoração se mostra ainda mais afrescalhada que a do restaurante, do papel de parede às cortinas de veludo, dos tapetes persas à mobília barroca, do suntuoso lustre à grande pintura de um navio sobre a lareira. Eis um hotel que leva a sério as suas cinco estrelas. Apesar de aflito, me sinto em um cenário de *Il gattopardo*, clássico da literatura e do cinema italianos, com suas locações luxuosas e solenes. Levado por minha companheira, lembro de Burt Lancaster, no papel do protagonista, na cena em que ele deixa correr uma lágrima diante do espelho quando percebe que está velho demais para um baile.

Finalmente, Serena me faz sentar em uma das duas camas king size à disposição. Penso na expressão impassível do recepcionista do hotel durante o check-in. Pela segunda vez na viagem, a mesma cena: eu, pedindo dois quartos; Serena dizendo que pode ser um só; e o atendente, conciliador, oferecendo um quarto com duas camas, com a discrição de quem já viu muitos senhores trazendo garotas mais novas para uma única noite de hospedagem.

— Certo, Serena. Estou sentado. Agora me diga por que é tarde demais para que não façamos... isso que tu queres fazer.

Também sentada, na mesma cama, ela passa a mão pelo próprio cabelo e parece refletir sobre qual a melhor forma de responder. Mas isso leva apenas um instante. As hesitações de Serena nunca duram mais do que isso.

— Lembra que quando entramos no quarto você reclamou de azia, dizendo que algo não tinha lhe feito bem?

— Claro que lembro, faz menos de dez minutos. Nenhuma refeição aos setenta e dois anos cai realmente bem. Ainda mais uma que dura a tarde toda.

— E o que mais aconteceu?

— Tu me disseste para abrir a boca... colocaste um remédio sobre minha língua... me estendeste um copo d'água e disseste para engo... não.

— Sim.

— Tu não farias isso, Serena!

— Você sabe muito bem que eu faria, Bello.

— Eu perguntei o que era e tu disseste que era um antiácido!

— Ironicamente, era bem o contrário.

Tranquila, ela pega sua mochila do chão. E, de um nicho escondido, saca uma cartela colorida, feita de minúsculas figurinhas quadradas. Juntas, elas formam uma única ilustração: um homem sobre uma bicicleta, com montanhas ao fundo, entre um sol e uma lua. É a mesma folha picotada que escondia dentro do relógio do papa, em Roma. Dela, Serena destaca um quadradinho com menos de um centímetro de largura, que ergue diante dos nossos olhos. E como quem apresenta a Fórmula de Báskara, explana:

— Preste bem atenção: isto é um vetor de dietilamida. O ácido lisérgico. Ou, se preferir, LSD. O melhor modo de ingeri-lo é deixar que ele se dissolva aos poucos, sob a língua. Não é o seu caso. Você o engoliu. Por isso, é bem provável que o alucinógeno não faça efeito. Além disso, você comeu demais, bebeu álcool. Há muita coisa acontecendo em seu sistema digestivo para que a substância se destaque.

— Serena! Eu não quero morrer agora! Ainda não é minha hora!

— Concordo. Veja.

Didática, Serena abre a própria boca, ergue a língua, insere o quadradinho sob ela e fecha os lábios. Então, pega o controle remoto na cômoda e liga a televisão de cinquenta polegadas em uma das paredes. E, com extrema calma, pega em minha mão, dizendo:

— Viu? Ninguém vai morrer esta noite. Estamos em um lugar fechado, seguro. Tudo o que precisamos fazer é deitar e assistir televisão. Observar as imagens na tela, ouvir a chuva lá fora, respirar normalmente. Eu, por exemplo, gosto de comer chocolate nessas horas. Tenho para nós dois.

— Tu fazes muito isso?

— Uma ou outra vez. Não sei quanto é muito.

— Tu carregaste drogas durante toda a viagem... poderíamos ter sido presos! Eu seria deportado!

— Quem diria, Bello? De abstêmio a traficante internacional.

— Quanto tempo leva para fazer efeito?

— Uns vinte minutos, meia hora.
— E quanto tempo dura?
— Varia. Duas horas. Quatro. Oito.
— Meu Deus.
— Como já disse, provavelmente não fará efeito. Bem, vou ao banheiro me trocar. Se fosse você, aproveitaria e também vestiria pijama, algo confortável. Não fique com essa cara, apenas coloque mais esse item na lista de coisas que você não deveria estar fazendo. Ou por acaso deveria estar comendo e bebendo como tem feito nos últimos dias? Aliás, não tenho visto você tomar seus remédios.

— Mas... mas...

Me olhando nos olhos, ela faz um carinho em minha mão. Um afago firme e breve, de quem não exige explicações. Por fim, Serena levanta da cama, junta sua mochila do chão e caminha em direção ao banheiro, dizendo:

— É possível que você esteja dormindo antes mesmo de eu terminar de me trocar. Amanhã de manhã, estaremos vivos e a caminho de Padova. A apenas dois dias de encontrarmos Ambra.

Ela abana para mim da entrada do banheiro e começa a fechar a porta. Sinto a boca seca, todos os músculos contraídos. Nunca usei nenhuma droga em toda a minha vida, sequer fumei cigarros normais. É como se estivesse prestes a perder minha... pureza.

— Serena!
— O que foi?
— E se eu começar a ter alucinações enquanto tu estiveres no banheiro?!
— Não vai. Eu não vou levar nem cinco minutos para voltar. Relaxe.

A porta se fecha e me sinto opressivamente só. Sou apenas um corpo molenga e desconjuntado, prestes a ser testado na mais mortal das provações. Na televisão, uma propaganda de carro. Lá fora, clarões em meio à chuva. Respiro fundo e tento prestar atenção no comercial de tevê. Não sinto nada de mais acontecendo. Não vai fazer efeito. Me concentro nessa hipótese, quase como uma oração. Não, não vai fazer efeito. Deus, não deixe que faça. Alice, socorro!

— Serena!

A resposta vem com um eco abafado, de dentro do banheiro:

— O que foi agora?!

— E se, durante o efeito, me der vontade de fazer... algo que não devo?!

— Como o quê?!

Várias situações inaceitáveis que poderiam ocorrer nesse quarto ao longo da noite passam pela minha cabeça. Digo a mais simples:

— Pular da janela, por exemplo!

A resposta demora alguns segundos. E, não sei por quê, tenho a impressão de que ela sorri enquanto diz:

— Não vai acontecer nada que eu não possa evitar.

*M*uito concentrado, olho ao redor, analisando cada canto da suíte. Observo a porta do quarto, possível rota de fuga. Vejo a televisão, as janelas, minha mala, a mochila de Serena, as pesadas cortinas, a barra de chocolate sobre a cômoda. Confiro o grande quadro na parede sobre a lareira, pintura a óleo de uma solitária embarcação em mar revolto. Vejo minha acompanhante deitada ao meu lado, olhos fixos na tevê, muito séria. Ela veste pijama. Eu continuo de terno. A outra cama segue vazia. Tudo parece normal. E mesmo assim, tenho a mais absoluta certeza de que estamos em um navio pirata.

Um clarão deixa o mundo inteiro branco por um longo instante. Espero o som do trovão, mas ele não vem. Olho mais uma vez para Serena e ela ainda está hipnotizada pela enorme tela. Parece que faz dias que não trocamos palavra. Sinto vontade de levantar da cama, mas não sei se devo. Mesmo sem eu perguntar nada, minha amiga faz que sim, com um leve aceno de cabeça. Então, levanto.

Com uma das mãos sempre apoiada à parede, dou a volta em todo o quarto. Ele é enorme e cheio de relevos impossíveis. Tento não encarar o papel de parede e, de relance, percebo que seus desenhos estão vivos, arabescos entrelaçando-se como hera, crescendo sem parar. A impressão que tenho é de que o chão está firme, mas as paredes e o teto se movem. Começo a rir. Esse é o navio pirata mais estranho em que já estive. Mas... por acaso já estive em algum outro?

— Bello!

Levo um susto e meus olhos parecem arregalar até o infinito. Serena me chama no exato instante em que ressoa o trovão. Há quanto tempo o raio caiu? Não sei. Só sei que preciso responder ao chamado.

— Serena!
— Chegou a hora.
— Sim, tens razão!

Me equilibrando com esforço, tiro a mão da parede e caminho de volta à cama. Pareço um astronauta, saltitando em câmera lenta. Não, não. Pareço um mergulhador, com escafandro completo, no fundo do mar abissal. Melhor não pensar nisso. Não é bom agouro! Afinal, estamos em um navio. Sento na beira da cama e me sinto confuso: por um lado, feliz por ter chegado a hora. Por outro, não faço a menor ideia do que Serena está falando.

— Coma, Bello.

Com reverência, como se fosse uma hóstia, ela me estende um pedaço de chocolate, que coloco na boca e deixo derreter. Então, fecho os olhos. É lindo. Na escuridão do lado de dentro das pálpebras, inúmeras imagens surgem. Formas geométricas interligando-se eternamente, com tonalidades que vão do azul ao verde. E, enquanto observo o fenômeno sem abrir os olhos, algo inexplicável acontece ao meu corpo. A coisa mais incrível que já aconteceu dentre todas as coisas acontecidas: sinto que me transformei em um homem todo feito de chocolate.

Abro as pálpebras para ver o resultado. Devagar, aproximo minhas mãos do rosto. Estão escuras e brilhantes. Sinto cheiro de chocolate em meus dedos. Lambo-os. É tão maravilhoso que desato a rir. Serena, ainda deitada ao meu lado, resolve dar uma olhada em mim, mas não parece surpresa com o que vê. Pelo contrário: sorri e me estende outro pedaço de chocolate.

Primeiro, receio em comê-lo. É como se fosse um irmão. Além do mais, e se eu não retornar nunca mais à forma humana? E por acaso eu quero voltar? Provavelmente, quanto mais eu comer, mais duradouro será o efeito. Aflito, mordo o pequeno pedaço de chocolate. Um barulho crocante ressoa como um novo trovão e levo as mãos ao queixo. Assustado, tenho a impressão de que meu maxilar se quebrou com a mordida. Fico segurando o queixo com as duas mãos, temendo que meu rosto se desfaça em mil pedaços de chocolate. Decido levantar e correr ao banheiro. Preciso me olhar no espelho.

Então, como em um passe de mágica, cá estou, trancado no banheiro. Lugar de uma brancura celestial, incrivelmente maior do que o quarto. Fico alguns instantes olhando para o chão, com receio de olhar para o espelho. Sinto meu coração disparar e tento respirar com calma. Vamos, Roberto, coragem! Com um longo suspiro, que parece uma ventania, encaro o espelho. E sinto uma estranha decepção quando percebo que não sou feito de chocolate. Tudo o que vejo é um velho engravatado e sinto enorme ternura pelo homem de cabelos brancos diante de mim. Uma lágrima cai. Ergo a mão para fazer um carinho em meu reflexo. Do outro lado, o outro Roberto também ergue a sua mão. Por um rápido instante, chego a pensar que ele me repele. Mas não, ele apenas está me refletindo. Sorrio. Esse raciocínio me leva a concluir que a droga não fez efeito.

Não ouço mais a chuva. Nem o vento. Será que já amanheceu? O tempo parece escorrer por entre meus pensamentos. Então, decido sair daqui, voltar ao quarto. Mas quando coloco a mão na maçaneta da porta, titubeio. Não sei por quê, tenho a forte impressão de que as coisas não serão mais as mesmas quando eu sair daqui. Porque está tudo bem dentro do banheiro. Tudo calmo. Apenas um zumbido tênue, a brancura ao redor e o meu amistoso reflexo no espelho. Mas lá fora... lá fora eu não sei. Fico pensando que tipo de coisas posso encontrar ao abrir a porta.

Parado com a mão na maçaneta, vislumbro diversos cenários possíveis, todos me esperando do outro lado em vez da suíte. Um vasto deserto, com sol escaldante e miragens sem fim. Talvez outras portas, infinitas, uma colada na outra, que vou abrindo, abrindo e abrindo para sempre, sem nunca chegar a lugar algum. Pode ser também que haja uma escuridão densa, gelatinosa, que eu percorreria devagarinho, com medo de bater a canela em alguma coisa. Então, estremeço. Porque vejo a mim mesmo, do outro lado, segurando a maçaneta. O meu reflexo, dentro do quarto, tentando entrar aqui ao mesmo tempo que tento sair. Penso em olhar para trás, ver se ele ainda está no espelho. Mas sinto medo.

— Bello...

O chamado de Serena me desperta. Dessa vez, tranquilo e suave. Em resposta a ele, abro a porta, valente e altivo como Júlio César ao atravessar o Rubicão. Fico surpreso por, do lado de fora do banheiro, ainda ser apenas o quarto. Embalado pela voz de minha amiga, caminho em direção à cama. Fico feliz com tudo o que vejo na suíte, como se visitasse um ambiente que sempre fez parte de minha vida. O papel de parede ainda parece vivo. E ele conduz meus olhos de novo ao quadro, pintura a óleo de uma solitária embarcação, sacolejando sobre ondas bravias. Meu Deus, só agora percebo... é maravilhoso. E, ao mesmo tempo, assustador.

— Serena! O navio no quadro... somos nós!

Quando vejo, ela está em pé, ao meu lado. Por longos momentos, ficamos olhando para o quadro. O navio e a tempestade em alto-mar.

— Nós estamos ali, Serena! O navio pirata!

Ela confirma, com um único meneio de cabeça. Sou tomado por uma irresistível euforia. Somos incríveis. Indestrutíveis como o navio. Então, cerrando o punho, canalizando toda minha energia para este poderoso gesto, ergo um dos braços. Mas, dessa vez, Serena faz que não com a cabeça, me olhando com seriedade. Baixo o braço devagar. E digo:

— Tens razão.

Ela sorri. Seu sorriso com todas as cores do universo. Que me engole, se transformando em um túnel colorido e rodopiante. Do outro lado, encontro uma incrível mulher nua, gigante. Ou será que fui eu que encolhi? Não sei, há muito tempo desisti de tentar entender as coisas. Aprendi que isso não faz a menor diferença. Essa mulher gigante é a visão mais linda de toda a minha vida e não há nada a fazer que não seja a escalar. Então, subo por suas pernas, até alcançar as coxas. Indo em frente, sinto um engraçado pudor ao passar rapidamente, quase correndo, por seu sexo. Ouço sua gargalhada. Dou a volta em seu umbigo e, de quatro, com as mãos agarradas à sua maciez, fico embasbacado com a fascinante visão de seus seios. Duas colinas enormes, que exploro com entusiasmo. Quando chego ao topo delas, sou eu quem ri. Do alto, contemplo seu rosto monumental. E sinto um prazer pulsante. Tão cálido que me faz gritar.

— Ambra!

Ao ouvir isso, tu fazes uma expressão engraçada. Uma gigante confusa, quase irritada. Mas logo tu dás tua gargalhada de lua de mel, quando digo:

— Estou brincando, Alice... lembro cada pedacinho de ti.

*A*pesar da evidente má vontade, a garçonete serve meu cappuccino com direito a coração de canela desenhado na espuma. Agradeço com um "grazie mille" sincero, ao que ela apenas estica milimetricamente os cantos dos lábios. Um sorriso duas estrelas, bem abaixo da cotação oficial do hotel. Nisso que dá chegar ao café da manhã cinco minutos antes do horário de término do serviço.

— Croissant recheado, Bello?

Serena segura um croissant diante dos meus olhos. É a primeira tentativa de conversa que temos desde que ela, do alto de uma das camas king size, me despertou. Até agora, não sei por que dormi no chão, deitado no tapete, tendo outra cama à disposição. "Faltam dez minutos para encerrar o café da manhã", foi o que minha companheira disse ao me acordar. A partir disso, tudo foi um borrão até chegarmos aqui, sem nem escovar os dentes. Na verdade, a noite inteira passou como um borrão.

— Recheado de quê?

— Chocolate.

— Não, obrigado.

Ela dá de ombros e devora o croissant. Mais uma vez, estamos sozinhos no belo restaurante do Grand Hotel Majestic. A chuva parou, a diária encerra em menos de uma hora e, na sequência, nosso trem parte em direção a Pádua. Bebo um gole de suco de laranja, tentando me energizar. Tudo dói, mais do que o normal. O ciático se manifesta e quase consigo ouvir as articulações rangerem. Já minha amiga, como sempre, não demonstra fadiga. É toda apetite.

— Dormiste bem, Serena?

— Dormi pouco, mas recupero o sono no trem. E você, que dormiu no chão?

— Não sei dizer como foi minha noite. Será que caí da cama?

— Não. Quando o sol estava quase nascendo, você sentou no chão, ao lado da cama, dizendo para eu dormir porque era sua vez de vigiar o convés.

Ela fala sem sarcasmo ou gozação, como quem apresenta a ata de uma reunião de condomínio. Então, pergunto:

— Tu lembras de tudo?

— A gente nunca sabe se lembra de tudo.

Silenciamos de novo. Enquanto ela bebe o seu espresso duplo, degusto meu cappuccino e tento recordar os acontecimentos da noite. Mas não sei até que ponto quero encarar o que aconteceu. Não sinto fome, então me ponho a analisar a volúpia com que Serena mistura doces com salgados, café com suco, pães com frutas. Quando algo lhe parece particularmente gostoso, ela fecha os olhos na primeira mordida. Quase sinto os sabores só de observá-la comer. E deixo escapar uma pergunta:

— Nada te faz mal?

— Tudo faz mal, Bello... como esse café fervendo, queimando o meu esôfago. O suco industrializado, os corantes, os cancerígenos. Há quem diga que não se deve mais comer derivados do trigo. Há quem diga o mesmo sobre o leite. Hormônios nas carnes. Açúcar faz mal, adoçante também. A água sai contaminada dos nossos canos, mas a engarrafada é cheia de sódio. Animais de abatedouros são maltratados. Os vegetais estão todos cobertos de agrotóxicos. Até o sol faz mal. Posso passar o dia dando exemplos assim. O problema de tudo está no excesso. E também na escassez.

— Tu não costumas dar discursos, Serena. Está tudo bem?

Ela ri e pede mais um café. A garçonete lhe serve, ainda emburrada com os hóspedes retardatários.

— Não é nada. Talvez uma leve melancolia. É um efeito colateral comum do LSD. Mas logo passa, pelo menos é assim comigo. Você não está sentindo?

— Não sei. Acho que é diferente para mim. Quando se chega na minha idade, a melancolia é uma companhia constante. Ela não surpreende, não se destaca. Está sempre ao nosso lado, como um cachorro, pedindo atenção o tempo todo. Mas quando se é jovem, cheio de vida, sua presença é mais esporádica e, por isso, marcante. É como o entusiasmo. Com vinte anos, ninguém se surpreende quando está animado, porque estar cheio de energia é o estado normal. Enquanto, para mim, isso já é algo bem raro de se sentir.

— Não sou só eu quem está discursando hoje, pelo visto.

— Talvez a garçonete tenha colocado algo em nosso café. Esse tipo de coisa tem me acontecido bastante.

Brindamos com nossas xícaras e nos voltamos às frutas cheias de agrotóxicos e aos pães feitos com trigo transgênico. Está tudo uma delícia. Mesmo assim, me sinto estranho e não é melancolia. É como se sentir culpado, mas não saber qual foi o crime nem mesmo se ele realmente foi cometido. Olho para essa menina com idade para ser minha neta, que come e bebe sem preocupações, e temo imaginar o que pode ter acontecido essa madrugada. É uma estranha ressaca. Sem náusea, apenas a ameaça das lembranças, mergulhadas nos confins da mente, como um monstro prestes a emergir. Tudo me parece simbólico em relação às últimas horas.

— Serena...

— Hm?

— Eu... preciso perguntar.

— O que, Bello?

— Essa noite... enquanto estávamos... inconscientes, por assim dizer... enquanto nós dois estávamos sob efeito de...

— Drogas?

Ela fala a palavra com deboche, imitando uma voz grave.

— Estou falando sério, Serena. Preciso saber se aconteceu algo...

— Que não devia?

Não respondo. Então, ela estica uma das mãos, tocando de leve na minha. E com sua voz mais suave e tranquila, responde:

— Não aconteceu nada que eu não pudesse evitar.

— *E*u estava perdido na névoa. Tu, com raiva, não vivias mais. E agora estamos juntos novamente. Digo eu te amo, mas tu não dizes nunca. E agora jure... agora jure que não sente medo, que não é um engano, diga, meu amor... porque um amor com silenciador, dispara ao coração... e bum! Você vai ao chão.

— Hahahahaha. E bum! Minha parte favorita! Essa música é muito ruim, mas gruda na cabeça. Continue, Bello! Está indo muito bem.

Maquinalmente, declamo a letra de *T'appartengo*. Prestando atenção na música, imagino que Ambra Angiolini, em seu único hit, tentava ser uma versão macarrônica da americana Madonna, de quem Clara tinha um pôster na parede do quarto. Serena deixa o clipe da canção rodando na tela de seu celular, enquanto dividimos seus fones de ouvido. Na internet, existem muitos vídeos da música. O que é surpreendente, visto que seu lançamento tem mais de vinte anos. Agora, ouvimos uma versão em que a letra vai aparecendo sobre a melodia e minha tarefa é traduzi-la, em voz alta, para debochado deleite de minha companheira. E surpresa do jovem taxista bolonhês que nos conduz à estação de trem.

— Serena, eu não aguento mais ouvir isso.

— Você precisa decorar, Bello! Precisa sentir Ambra. Ela é essa música.

— Ou seja, é uma ridícula. Como tu.

Serena, sem misericórdia, pega o celular e busca outro vídeo. Uma performance em playback, Ambra em seu programa de tevê. Lá está o fundo azul, a plateia e as colegas de palco, cantando e dançando para uma câmera que se move freneticamente. Quando a música recomeça, minha amiga se põe a imitar os trejeitos da intérprete, que parece uma criança brincando de ser cantora. E isso não é nenhum elogio à artista.

— Tu pareces uma louca. Para com isso.

— Por quê? O taxista está gostando. Não tira os olhos de mim. Não olhe!

O motorista nos observava mesmo, através do retrovisor. Ainda que esteja vestindo moletom dos pés à cabeça, Serena chama a atenção do rapaz. Mas ele se constrange quando percebe que nossa conversa é sobre ele. Ainda bem que provavelmente não entende o que dizemos.

— Tem certeza de que não quer ensaiar, Bello? Faça de conta que sou Ambra. Imagine que tocou minha campainha e acabo de abrir a porta, vestindo chambre branco, usando uma toalha de banho como turbante e segurando um martíni. Ciao, signore!

Serena põe as mãos entre nossos rostos, as baixando devagar, revelando um caricato olhar sensual. É uma boa imitação da coreografia de T'appartengo, admito sem o dizer. O taxista ri, mas logo se contém. Evito o olhar dos dois e falo:

— Já disse, não precisamos ensaiar nada.

— Você é mesmo estranho. Fica nervoso com qualquer bobagem, mas esbanja tranquilidade com um encontro tão extraordinário.

— Meu trabalho sempre foi prever situações de risco. E Ambra, definitivamente, não representa risco nenhum. Eu sei o que estou fazendo.

Serena abre sua mochila, tira a garrafa sem rótulo de dentro e bebe um gole no gargalo. Depois, me oferece. Quando recuso, percebo que o taxista segue a nos espiar. Então, ela diz:

— Sabe quando você vai a um restaurante, pede um vinho e o garçom serve uma pequeníssima dose em sua taça, pra depois ficar aguardando que você autorize que ele sirva o resto?

— Sei.

— E sabe quando você gira o cálice, cheira o vinho, experimenta um gole e, invariavelmente, diz que pode servir?

— Sim. E daí?

— Daí que assim é a vida, Bello: a gente pode até fingir que sabe o que está fazendo, mas na verdade não faz ideia e só nos resta aceitar o que vem.

Ela oferece o vinho mais uma vez. Agora, aceito. Enquanto entorno a garrafa, ela desconecta os fones do celular e o som de Ambra ecoa por todo o táxi. Me encolho de constrangimento no assento traseiro e viro o rosto em direção à janela do carro. Serena se põe a cantar, olhando fixo para o espelho retrovisor. E para o meu espanto, o taxista começa a cantar também, enquanto batuca ao volante a melodia do refrão de *T'appartengo*:

Ti giuro, amore, un amore eterno	*Te juro, amor, um amor eterno*
Se non è amore, me ne andrò all'inferno	*Se não é amor, irei para o inferno*
Ma quando ci sorprenderà l'inverno	*Mas quando nos surpreender o inverno*
Questo amore sarà già un incendio	*Esse amor será já um incêndio*

> *Lo grido cento mille*
>   *volte a sera*
> *Ma disperata come una*
>   *preghiera*
> *Non voglio più*
>   *svegliarmi sola sola*
> *Se non ci sarai*
> *Prometti... per sempre sarai*
> *Prometti... indietro non*
>   *si tornerà!*

> *Eu choro cem mil*
>   *vezes à noite*
> *Desesperada como*
>   *uma prece*
> *Não quero mais*
>   *acordar sozinha sozinha*
> *Se você não estiver*
> *Prometa... que sempre estará*
> *Prometa... que não vai*
>   *voltar atrás!*

Em êxtase e aos risos, Serena e o taxista mais berram do que cantam, se encarando através do espelho. Quando paramos em um sinal vermelho, os motoristas dos outros veículos nos olham com expressões que variam do estupor à desaprovação. Ao sinal verde, o rapaz acelera, fazendo até os pneus cantarem enquanto diz, às gargalhadas, que adora essa música. "Mi ricorda la mia infanzia!", ele complementa. Enquanto eu, olhando para fora do carro, me flagro dedilhando cordas imaginárias sobre minha barriga, na parte do solo de guitarra.

Essa merda gruda mesmo na cabeça.

Em 1919, os irmãos Barbieri, seja lá quem foram, inventaram essa bebida alaranjada que todos bebem na Itália. Em cada restaurante ou bar, sempre há alguém com esse drinque na mão, com uma rodela de laranja encaixada na borda do copo. Empunhando sua terceira dose, Serena conta que o Aperol nasceu aqui mesmo, em Pádua. Pergunto quando vamos parar de beber e finalmente sair para visitar o túmulo de Santo Antônio, principal atração da cidade. Ao que, após mais um gole, ela responde com seu copo balançando no ar:

— Não sei se você sabe, mas Santo Antônio, que na verdade se chamava Fernando, apenas morreu aqui. Nasceu em Lisboa, nem italiano era. Já o Aperol, cujo nome verdadeiro é Aperol mesmo, foi criado em Padova. E é, para mim, um dos mais sagrados patrimônios deste país. Vamos, portanto, dar prioridade aos filhos da nação.

Rio da heresia e, para desespero do meu fígado, que a cada dia aumenta suas estocadas, também bebo mais um gole do drinque. Segundo minha amiga e enciclopédia ambulante, o Aperol é tipo um Campari, só que mais leve, de cor alaranjada em vez de vermelha e com metade do teor alcoólico. Por isso, após a Segunda Guerra, quando o nazismo caiu e o culto ao emagrecimento tomou o seu lugar no posto de maior vilão do planeta, a bebida se tornou popular, anunciada como um licor que não engordava. Para as mulheres que queriam manter a forma, era um adocicado me engana que eu gosto.

— Não que tu te importes com isso de cuidar do corpo, não é?

— Giulio não reclamou, Bello.

— Quem?

— O taxista em Bolonha.

— Acho que aquilo foi a coisa mais mal-educada que alguém já fez comigo. Eu lá, esperando o trem sozinho, enquanto tu atentavas ao pudor dentro de um táxi estacionado em fila dupla.

— E queria que eu fizesse o quê? Ficasse parada ao seu lado, olhando para o teto da estação? Faltava muito para a hora da partida e nem comprar passagens precisamos, você já comprou todas antes da viagem começar e só me dá meus bilhetes na hora de embarcar em cada trem. Além do mais, foram só uns beijos.

— Achei que o rapaz fosse homossexual.

— Por quê?

— Pelo jeito que cantava.

— Não sei se era. Mas posso perguntar, trocamos contatos.

— Talvez tu o tenhas curado.

Assim que digo isso, Serena me encara com os olhos bem abertos, sem piscar. Seu silêncio é sólido, maciço, mais pesado do que qualquer coisa que se possa dizer. Paciente, ela apenas aguarda que eu mesmo me dê conta do que acabei de falar.

— É... tu tens razão, Serena.

— Falando nisso, acredita que ainda não encontrei sua filha na internet?

— Acredito.

Ergo meu copo e ela estranha meu leve sorriso. Mas Serena nunca resiste a um brinde e logo bate seu copo no meu. Bebemos a dose e pedimos um último Aperol. E, confortáveis em uma mesa da tradicional Osteria L'Anfora, observamos os pedestres passarem diante da janela, todos rumando à Basílica de Pádua, ou Padova para os nativos. Em silêncio, evitamos falar sobre o dia de amanhã e nos concentramos em aproveitar esta penúltima parada.

Terminada a saideira, acatamos a convocação do sol. A tarde amena pede por uma caminhada e, de braços dados, Serena e eu saímos a turistar. Mais uma vez, sugiro visitar a Basílica, mas minha acompanhante me conduz pelo caminho oposto. Em poucos minutos, chegamos a uma larga calçada onde se destaca um edifício de três andares que parece um grande casco de navio virado de cabeça para baixo. O Palazzo della Ragione, sede dos antigos governos e tribunais de Pádua. A edificação em si é bastante interessante, mas, diante dela, há uma pequena feira de produtos típicos da região. Entre frutas e verduras frescas, diversos queijos, vinhos e salames. E tudo isso é muito mais atrativo do que um lugar chamado Palácio da Razão.

— Calma, Bello. Não se precipite.

— Tu não vens, Serena?

— Não é assim que se faz, primeiro é preciso planejamento. Veja... são doze barracas, acabo de contar. E é preciso seguir a ordem, da esquerda para a direita, de modo a ser melhor visto. Há quem goste de olhar rapidamente todos os expositores e depois ir direto àqueles que têm os produtos que interessam. Mas isso não é bom, os vendedores logo percebem que você é um assaggiatore. Um provador, em busca de degustações grátis. Por isso, o segredo é sempre comprar alguma coisa na primeira barraca. Qualquer coisa. Com isso, você ganha uma sacolinha no padrão da feira. Às vezes, é de juta ou pano, às vezes, de papel, cada uma tem o seu. Então, desfilando com a sua sacola, você passa a ser visto como um cliente em potencial e pode experimentar de graça todos os produtos, mesmo que não compre mais nada.

— Mas então, no fim das contas, tu és uma provadora.
— Você também. Venha!

Ela me pega pela mão e logo nos vemos diante da primeira barraca, com uma mesa de madeira repleta de tomates tão vermelhos que me lembram os cabelos de Thelma Adams. Com muita seriedade, Serena pega um tomate e o examina como se fosse uma avaliadora de penhores. O vendedor logo se assanha, todo sorriso, mas se decepciona quando minha amiga pede para embalar um tomate. Apenas um. Assim, gastando menos de um euro, ela obtém sua tão desejada sacola e parte saltitante pela movimentada feira, sumindo entre os inocentes clientes de verdade.

Eu, por minha vez, não compro nada na primeira barraca. A passos lentos e contemplativos, caminho em direção ao comerciante de queijos, um dos últimos. No Brasil, os queijos parecem todos iguais. Penso no catupiry, infame criação brasileira, um crime que deveria ser combatido pela Organização Mundial de Saúde. Nos mercados da nossa cidade, o mais diferente que encontramos é gorgonzola, brie ou provolone. Já na Itália, queijos são um universo à parte, de tipos, cores, temperos e segredos infinitos. Como este diante de mim, com uma rústica crosta verde ao redor.

— Vuole assaggiare, signore?

Agradeço ao simpático vendedor e digo que sim, quero provar. Ele corta um generoso pedaço e me oferece. Quando mastigo o queijo e sinto a sua maciez sob a espessa casca feita de pistaches moídos, fecho os olhos. E, é claro, te vejo. Aliás, ainda não tinha te visto hoje, Alice.

— É verdade, amore mio.

— Te lembras desse queijo?

— Claro que sim. E tu te lembras do que disseste quando o experimentamos, em nosso primeiro dia em Roma?

— Sim... eu disse que era uma pena que jamais fôssemos encontrar esse queijo novamente.

Quatro décadas depois, cá estou, reencontrando o melhor queijo que já comi na vida. Salgado e crocante por fora, suave e macio por dentro. Viajo mais uma vez até a nossa lua de mel e já não sei mais se estou de olhos abertos ou fechados, enquanto dou mais uma mordida no queijo e te vejo diante daquela...

— Ladro! Ladro!

Os gritos, ao mesmo tempo estranhos e familiares, parecem vir do caminho por onde vim, algumas barracas atrás. Demoro a entender que foi Serena quem gritou "ladrão". Então, reparo que as pessoas se agitam e, entre elas, sinto a presença de um rapaz cinzento, com barba por fazer, parado bem atrás de mim. Dou um passo para o lado, reflexo de quem está acostumado a sair do caminho dos outros. De relance, vejo que ele ri de mim, me empurrando e fazendo menção de sair correndo. E noto minha carteira em sua mão.

Nesse momento, é como se eu estivesse novamente sob efeito do LSD. Tudo fica muito rápido e, ao mesmo tempo, muito lento. Primeiro, levo a mão esquerda ao bolso traseiro da calça e o vazio que sinto ali se reflete em meu peito. Aí vem a tristeza. Vergonha. Raiva. E, por fim, dor física. Que sinto na outra mão, quando meu punho fechado se choca violentamente contra a orelha do sujeito. Ficamos os dois atônitos. Ele, caído em meio aos queijos, com a mão ao lado da cabeça, cara de dor. Eu, olhando para os meus próprios dedos, fascinado com o primeiro soco que dei na vida, dizendo baixinho:

— Tu viste, Alice?

Não ouço a tua resposta. Só sinto Serena se aproximar, aflita:

— Bello, por que está sorrindo? Ele fugiu com a sua carteira!

No momento em que eu falava contigo, meu amor, o ladrão levantou e correu, sumindo na esquina mais próxima. Então, minha amiga leva as mãos à cabeça, boquiaberta. E eu lhe mostro minha mão dolorida, dizendo baixinho:

— Tu viste, Serena?

Ela arregala os olhos e, enfim, dá uma risada. Depois, me puxa pelo braço com firmeza. Mal ouço quando o furioso vendedor começa a gritar, perguntando quem vai pagar pelos queijos espalhados no chão. Com passos rápidos e sem olhar para trás, Serena e eu seguimos em frente, nos afastando cada vez mais do Palácio da Razão.

— Dói, Bello?
— Sim.
— E por que não disse antes?
— Porque está ficando bonito.

Serena larga a caneta e, pela cor de seus lábios, concluo que já bebemos vinho suficiente por esta noite. Olho para o gesso que imobiliza minha mão direita e gosto do que vejo. Flores, estrelas, cometas e corações entrelaçados em um mosaico azul escuro, Bic sobre branco. Minha tala transformada em tela.

— Quer dizer que, além de tudo, tu também desenhas?
— Não é talento, é prática. Não é a primeira vez que desenho no gesso de um amigo.

Sorrimos, cansados. Com as idas e vindas no pronto-socorro, acabamos perdendo o dia. Sem falar nas ligações para cancelar cartão de crédito e registrar a ocorrência. Serena não queria ir à polícia, disse que não serve para nada, mas que espécie de segurador seria eu se não desse minha contribuição à estatística oficial? Agora, são nove e meia da noite. E, instalados no Hotel Grand'Italia, bem em frente à estação de trem, só temos forças para comer um panino de frango, com rúcula e molho caponata, sentados nas altas banquetas do bar. Nesse meio-tempo, esvaziamos uma garrafa de Valpolicella, de teor alcóolico mais alto que o usual, que é o que o dia que tivemos pede. Vejo minha amiga bocejar e repito para mim mesmo que está tudo sob controle. Serena ainda não sabe que há dez mil euros em espécie em minha mala. Inclusive, que tenho um cartão de crédito reserva. Às vésperas da última parada, seria uma catástrofe não tê-lo. E, mais uma vez, que espécie de segurador seria eu, se não o tivesse?

— Bello, espero que não esteja triste por não termos ido à Basílica. Podemos tentar ir amanhã, antes de partir para Brescia.

— O plano é chegarmos na estação pela manhã bem cedo. Não há tempo.

— Você e seus planos... va bene. Mas acho que seremos os primeiros visitantes da história de Padova a entrar e sair sem visitar a Basílica.

— Não te preocupes. Já estive lá, com Alice. Tenho certeza de que está tudo igual. A esplanada, o túmulo de Santo Antônio, o relicário atrás do altar...

— Aquele vidro com a língua do santo à mostra é nojento.

— É um milagre. Faz quase oitocentos anos que ele faleceu e a língua segue lá, sem se decompor.

— Aquela coisa escura no relicário parece mais um cocô... que cara é essa?

— É exatamente o que Alice disse quando viu a língua de Santo Antônio.

— Talvez ela tenha soprado em meu ouvido.

Rimos. E terminamos o vinho.

— E se eu te dissesse, Serena... que tenho escutado Alice falar comigo?

— Diria que isso sim é um milagre. Mas também é falta de educação. Estou sendo excluída dessas conversas.

— Tu não levas nada a sério, não é? Ao menos, acreditas em Deus?

— Acredito. Mas isso não quer dizer que ele exista.

— Como assim? Acredita ou não?
— Você conhece a história do Padre Pio?
— Não... suponho que seja fascinante.
— Veramente! Padre Pio é um dos santos italianos mais populares do catolicismo. Quando vivo, tinha seguidores fervorosos. A maioria mulheres, que espalhavam as histórias de seus milagres por todo o país.
— Até aí, nada de mais.
— Suas devotas juravam que ele era capaz de voar.
— Não seria o primeiro santo a fazer isso.
— Seus detratores o acusavam de fazer amor com as beatas.
— Bom... não seria o primeiro padre a fazer isso também.
— Agora, a melhor parte: Padre Pio teve seu auge como sacerdote durante a Segunda Guerra, tendo falecido somente ao final dos anos 60. Ou seja, não é um santo medieval, de tempos obscuros, como a grande maioria. É recente. Suas imagens ainda são campeãs de vendas na loja do Vaticano. Imagine que a imprensa, telefone, rádio, televisão e até o avião já existiam em larga escala quando ele viveu. E ninguém foi capaz de provar ou desmentir o que se dizia sobre ele.
— E para ti, quem tinha razão? Devotas ou detratores?
— Que diferença faz? Para quem acredita em algo, ter razão não é essencial. Confundir fé com certeza só traz conflitos. Ter fé é torcer, é um palpite sem garantias. Tenho grandes chances de estar errada, mas torço para que Deus exista. Não custa nada e me parece ser a aposta mais bela. Quanto ao Padre Pio, me considero devota. Era um velho bonitão, mesmo careca de barba branca. Veja.

Ela tira um santinho de dentro da pequena carteira que leva no bolso do jeans. Ajeitando os óculos com o indicador, confiro o papel amassado e digo:

— Parece o Sean Connery no filme *O nome da rosa*.
— È vero! Como nunca reparei isso?
— Isso de parecer com atores é algo que eu entendo. Bom... por hoje chega, Serena. Vamos dormir.
— Sim, vamos. Amanhã será um grande dia. E Ambra que se prepare: você também é um velho bonitão.

Peço a conta. Minha amiga levanta, se espreguiça e parte rumo ao quarto, cantarolando *T'appartengo*. Fico para trás, esperando o valor a pagar. Mas antes dela sair pela porta do bar, ainda pergunto:

— Então, tu não acreditas que o Padre Pio fazia amor com as beatas, certo?

Serena responde sem se virar, com o dedo indicador em riste:

— Claro que não fazia, que absurdo! Mas que voava, voava.

𝒮erena ronca na cama ao lado, alheia à minha insônia. Confiro o Nokia: quase duas da madrugada. Apesar do cansaço, não consigo dormir, apreensivo e ansioso. Mas também pode ser a má digestão, dores por todo o corpo ou as palpitações que venho sentindo. Levo uma mão ao peito e massageio. A outra, engessada, coça há horas e penso em desmontar um cabide do hotel para tentar alcançar o ponto da coceira sob a tala. Mas minha preguiça é mais forte que a comichão. Olho para o lado e observo minha amiga, que ainda não sabe o que são os incômodos do corpo. Eu já não recordo como é não os ter. Preciso descansar, parar de pensar no que vai acontecer na última parada. Fecho os olhos e respiro fundo. Afinal, a essa altura, não posso voltar atrás.

— Ainda dá tempo.

Sorrio no escuro e respondo baixinho:

— Foi exatamente o que tu disseste na Fontana di Trevi, Alice.

— E segue valendo.

— Agora que vim até aqui, vou até o fim.

— Não existe fim. Vai por mim.

— Quando chegar a hora, o que ela vai pensar?

— Não sei... nem terei como saber. O único pensamento que consigo ouvir é o teu.

Abro os olhos, atraído por uma movimentação na cama ao lado. Vejo Serena gemer e dar chutinhos sob o seu lençol, como um cachorro tendo pesadelos. Mas logo passa. Sem ajuda, ela retoma as rédeas do sono e mesmo dormindo parece saber espantar o que lhe faz mal. Fico observando o seu ressonar tranquilo durante longo tempo, até minhas pálpebras pesarem. Então, fecho os olhos mais uma vez. E tu retomas o assunto:

— Já sabes o que vais dizer, Roberto?

— Acho que não vou dizer nada.

— Tu sempre foste bom nisso.

Fora o ronco de Serena, outro silêncio se impõe, provando que tu tens razão. Mas logo tua voz retorna e consigo imaginar teu sorriso enquanto dizes:

— Vai ser no mínimo engraçado, amore mio.

Contenho uma risada e reparo que não sinto mais a coceira sob o gesso. Até as dores parecem desaparecer. Pouco a pouco, tudo vai sumindo, esvanecendo. A madrugada amena, o quarto de hotel em Pádua, Serena em sua cama, Ambra em Bréscia, Clara só Deus sabe onde e até tu, Alice, te esvais em algum ponto entre minha mente e o céu. Em meio a lembranças e planos, deslizo para aquele estado da vigília em que não sabemos mais se estamos dormindo ou acordados. E cujos pensamentos não lembraremos ao despertar.

*E*ntre malas e bocejos, cá estamos, na Stazione Centrale di Padova. Serena, sentada; eu, em pé. Enquanto tomo coragem, Serena toma um espresso em copo de isopor, comprado no bar. Preocupada em se arrumar para encontrar Ambra, ela mal tocou no café da manhã do hotel. "Tenho ótimas notícias", afirmou há pouco, sorridente, assim que lhe entreguei sua passagem para o próximo trem. De tailleur cinza, cabelos presos com fúria, olhos maquiados e, pela primeira vez, de salto alto, ela parece uma vendedora de crédito consignado. Já eu pareço o de sempre em meu terno: Mastroianni em fim de carreira.

— Ainda não entendi por que tanta produção, Serena... ansiosa?

— Sim! Descobri onde Ambra mora, Bello. Um amigo em Brescia, com quem troco mensagens há dias, finalmente conseguiu a informação. Ao que parece, ela está na cidade. Vamos surpreendê-la hoje mesmo.

— Tens certeza?

— Nunca tive tanta! Será belíssimo! Ela vai adorar a sua história. Andei lendo notícias mais recentes sobre ela. Você sabia que Ambra também é atriz? Há alguns anos até ganhou prêmios... então, sumiu de novo.

Serena tagarela, excitadíssima. Ela recita, pela enésima vez, a biografia de Ambra Angiolini. De menina prodígio da televisão italiana a ícone brega dos anos 90. Frase por frase, sinto que Ambra se parece cada vez menos contigo, Alice. A cada novo detalhe ou fofoca, essa personagem, que entrou de maneira inusitada em nossas vidas, vai se tornando uma figura mais surreal. Penso em Clara. Nossa filha não tem nada de Ambra. Pelo contrário, suas feições sempre lembraram as minhas. Fazendo jus ao nome que lhe demos, versão brasileira de Chiara, a filha que Marcello Mastroianni teve com Catherine Deneuve.

— Resumindo, Bello, você é justamente o que Ambra precisa para retornar aos holofotes... um amante brasileiro.

— Eu já disse que tu és ridícula?

— Você que é amargo. Quer um Tic Tac? Espere, tenho algo melhor para lhe inspirar... ontem à noite, você disse que anda ouvindo a voz de sua falecida esposa e isso me lembrou daquele filme em que vocês deram o primeiro beijo, que tinha uma cena especial...

— *O candelabro italiano*. A parte em que o mocinho beija a mocinha pela primeira vez, ao som da música *Al di là*...

— Ecco! Assisti a cena hoje cedo, enquanto você tomava banho e se arrumava no banheiro. Gostei da música. Espere um instante...

Ela dedilha o seu celular e logo surge um vídeo na pequena tela, somente dessa cena, legendada em português. Nesse exato momento, o primeiro aviso de partida do trem para Bréscia ressoa no sistema de som da estação. Nervoso, digo que ela não precisa me mostrar isso, mas ela se levanta, enfia fones de ouvido em minhas orelhas, deposita o seu celular no bolso do meu paletó e, colocando sua mochila às costas, diz:

— Enquanto o vídeo carrega, vamos embarcar. Está na hora, Bello.

Sinto uma pontada fria dentro de mim e já não sei mais se é nervosismo ou indigestão. Ela entra no trem e vou atrás dela, atordoado e de mãos vazias. Devido à minha tala de gesso, Serena carrega a minha mala de rodinhas com as duas mãos. Empolgada, ela nem sente o esforço. Já eu, olhando lentamente ao redor, reparo que poucos passageiros embarcam. Bréscia não é o que se pode chamar de paraíso turístico e este trem não possui assentos numerados nem cabines privativas. Assim, observo enquanto ela guarda nossa bagagem nos devidos compartimentos e escolhe onde quer sentar.

— O que foi, Bello? Sente-se.

— Vou ao banheiro.

— Boa ideia. Depois que o trem parte, eles ficam concorridos. Vá então, que eu guardo os nossos lugares. Depois, será minha vez de ir. Ei, espere! Você... consegue com uma mão só?

— Vai dar tudo certo, Serena.

Ela sorri e não posso deixar de me abaixar para dar um beijo na bochecha da colecionadora de pessoas. Que honra fazer parte de seu acervo. Em minha cinzenta e pouco variada galeria de seres humanos encontrados ao longo da vida, Serena é um dos poucos tesouros. Talvez não tão valioso quanto Clara e tu, Alice... mas, certamente, um dos mais brilhantes e inesperados.

Sem se surpreender com minha demonstração de carinho, Serena me dá uma piscadela e saca sua garrafa de vinho da mochila, se voltando para a janela. Respiro fundo e, com a lentidão e cuidado que todo o idoso precavido deve ter com escadas, desço do trem. De volta à plataforma, me posiciono atrás de um pilar, fora do alcance da visão de Serena, e fico esperando os próximos dois avisos sonoros que indicam a partida para Bréscia. Eles logo ressoam, um após o outro, enquanto sinto o meu coração bater forte, até doer. E quando as portas do trem finalmente se fecham, caminho pela plataforma, parando diante da janela do assento onde deixei minha amiga.

— Bello!?

Leio os lábios de Serena e vejo seus olhos arregalados, mãos espalmadas no vidro fechado. Ela se ajoelha no assento, dizendo coisas que não posso ouvir, intercalando olhares para a porta do lado de dentro, e para mim do lado de fora. Então, o trem começa a se mover. E para minha grata surpresa, seu desespero inicial logo se transforma em uma risada que não consigo escutar. Devagar, seus olhos vão ganhando aquela expressão preguiçosa, de quem sabe que, no fim das contas, nada realmente importa. E só me resta rir também para essa menina que tem cabelos de Vênus de Botticelli, rosto de Santa Teresa de Bernini e, agora, uma mala de rodinhas contendo dez mil euros e um enxoval de roupas de velho.

Talvez eu tenha mesmo ficado com sequelas daquele LSD. Porque à medida que o trem se distancia, parece que sou eu que vou ficando menor, com um coração enorme a bater dentro de mim. E mesmo quando o rosto de Serena se torna apenas um pontinho longínquo, acho que ainda consigo ver ela sorrir, um minúsculo brilho cor de violeta. Então, abano para ela, com a mão engessada. E, caminhando em direção a outra plataforma, começo a assoviar. Coloco a mão esquerda dentro dos bolsos da calça e confiro se tenho tudo o que preciso. Lá estão meu passaporte, o cartão de crédito reserva, o velho celular sem chip e a passagem para o próximo trem rumo à Veneza. Nossa última parada, meu amor.

— Sim, amore mio... nossa última parada. Mas, antes, confira o bolso do paletó também.

Jamais deixaria de atender a um pedido teu. Por isso, logo enfio a mão no bolso sugerido. E meus ouvidos são tomados de assalto por uma música que encobre todos os sons do mundo:

Al di là del bene più
   prezioso, ci sei tu
Al di là del sogno più
   ambizioso, ci sei tu
Al di là delle cose più belle
Al di là delle stelle
Ci sei tu per me
Per me, soltanto per me...
	Para além do bem mais
	   precioso, está você
	Para além do sonho mais
	   ambicioso, está você
	Para além das coisas mais belas
	Para além das estrelas
	Está você para mim
	Para mim, somente para mim...

— Não! Serena esqueceu o celular e os fones! Isso não estava nos planos!
— Tu não aprendes, não é? Chega de planos, Roberto.

Al di là del mare più
   profondo, ci sei tu
Al di là dei limiti del
   mondo, ci sei tu
Al di là della volta infinita
Al di là della vita!
Ci sei tu, al di là,
   ci sei tu per me
Lalalala... lalalala...
   lalalalaaa
	Para além do mar mais
	   profundo, está você
	Para além dos limites do
	   mundo, está você
	Para além da volta infinita
	Para além da vida!
	Está você, para além,
	   está você para mim
	Lalalala... lalalala...
	   lalalalaaa

Mocinha do filme — O que significa Al di là?
Mocinho do filme — Significa... é difícil explicar. Longe, muito distante... além do além... além deste mundo. É assim que ele a ama na canção.

Al di là della volta infinita   *Para além da volta infinita*
Al di là della vita!   *Para além da vida!*
Ci sei tu, al di là   *Está você, para além*
Ci sei tu per me   *Está você para mim*

— Tu tens razão, Alice... chega de planos. Além do mais, Serena vai sobreviver. Ela faz isso como ninguém.

— Sabe, Roberto... no início, tive ciúmes dela. Mas agora, devo confessar uma coisa.

Laaa, lalalalaaa   *Laaa, lalalalaaa*
Lalalalaaa... lará laráaaa...   *Lalalalaaa... lará laráaaa...*
Aaaaal di làààààààààààà   *Paaaraaa alémmmmmmmm*

— Confessar o quê?
— Vou sentir saudades de Serena.
— E quem não vai?

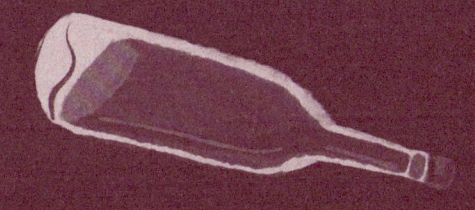

Dois meses depois

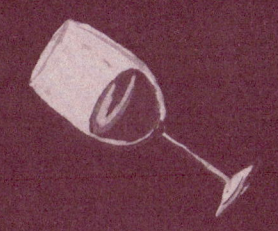

𝓐jeito os óculos com a ponta do dedo indicador e observo Serena dormir. Daqui da cadeira, a vejo estendida na cama. Nua, deitada de lado, de costas pra mim. Contemplo a sua bunda, redonda e altiva, e corro meus olhos por seus cabelos, mar castanho-dourado, derramado sobre o travesseiro. Mas se me perguntassem por que me apaixonei por essa menina, apontaria justamente o que não estou vendo: seus lábios, sempre manchados de vinho. Pena que ninguém pergunte essas coisas.

— Sei que você está me olhando.
— Como, Serena?
— Pelo reflexo da janela. Que horas são?

Olho para o papa Bento XVI na parede, iluminado pela luz que escorrega das frestas da veneziana nesta manhã quente de maio.

— Seis e meia. Recém amanheceu.
— Muito cedo... volte pra cá.
— "Não consigo dormir. Tenho uma mulher atravessada entre minhas pálpebras. Se pudesse, diria a ela que fosse embora. Mas tenho uma mulher atravessada em minha garganta".

Ela segue de costas, imóvel. Mas sei que está sorrindo quando diz:

— Edoardo Galeano?

— Brava.

O nome correto do meu escritor favorito é Eduardo, mas não a corrijo. Serena ainda tem muito a aprender sobre a América Latina. E o melhor: quer que eu ensine. Logo ela, que é o *Aleph* e o *Zahir*, dois contos de Borges em forma de gente. Após breve silêncio, ouço ela roncar baixinho. Como dorme fácil... reflexo do vinho, a garrafa vazia e sem rótulo sobre o criado-mudo. Ainda não entendo como ela pode ter ficado tão próxima de ti, pai. E sinto um misto de ciúmes e orgulho de quem herdei, entre tantas coisas inesperadas, uma garrafa igual.

Sem fazer barulho, levanto da cadeira e fico em pé, encostada à parede. Com a ponta dos dedos, junto minha blusa do chão e visto. Mas logo me pergunto por quê. Faz calor e as linhas horizontais que iluminam as paredes indicam sol lá fora. Talvez seja pudor de ficar apenas de calcinha e óculos. É... estou ficando velha. Olhando pra nudez de Serena, penso nos meus quarenta anos recém-completados. Pareço mais sua tia do que qualquer outra coisa. Pelo menos é o que os olhares na rua dizem quando andamos de mãos dadas. Me pergunto se olhavam assim também pra vocês, quando ela caminhava ao teu lado. Provavelmente, não.

Desvio dessa imagem em minha mente me voltando para o quadro escorado na parede, junto ao chão, ao lado do armário-cozinha. Um pôster de Ambra. Cantora que, há até poucos dias, nunca havia ouvido falar. Seu nome escrito em letras grandes, sobre uma foto dela ainda jovem, de saia preta, camisa branca e gravata vermelha. No canto inferior direito, a frase "Un bacio per Roberto" escrita à mão, com autógrafo e tudo. Mas o mais perturbador é sua semelhança com a vaga memória que tenho de minha mãe. De quem vi apenas fotos, tendo em ti, pai, seu incansável biógrafo, contando sempre da viagem tão feliz à Itália, a famosa lua de mel. Não aguentava mais essa história, adolescente idiota que eu era. Quando saí de casa, aos vinte e poucos anos, um dos teus últimos gestos foi me entregar um envelope com todas as fotos dela. Menos uma, que guardou na tua carteira, justo a mais desbotada. De resto, silêncio. Só sabia falar sobre minha mãe. Ah, pai... por que tu era assim?

Tu nunca foi um modelo pra mim, acho que nem preciso dizer. Aliás, tudo o que eu mais queria era me tornar o oposto de ti. Mas agora que tu partiu, é como se uma trava tivesse se soltado. Uma comporta, que por tantos anos segurou um rio de compreensão. E lágrimas. Nunca na vida havia chorado por tua causa, pai. E agora, veja... me dou conta de que estou me dirigindo a ti em pensamento, falando sozinha. Definitivamente, estou ficando velha.

Como todo filho, várias vezes tentei imaginar como seria quando meu pai se fosse. E meu receio sempre foi não conseguir chorar a morte deste homem silencioso, cauteloso até no afeto, que abraçava de longe pra não machucar. Pranto é o que se espera em um funeral, é o que diz o costume. Bom... do jeito que foi, nunca saberemos como eu me comportaria.

E isso me leva às cinzas. Securitário até depois de morto, tu deixou tudo arranjado com um advogado, através de uma carta. Segundo Serena, a data do envio é de um dia antes da tal viagem que fizeram. Será que já sabia que não estaria vivo quando o envelope chegasse ao Brasil? De qualquer forma, nele encontrei tudo o que precisava pra sacar dinheiro de duas contas de banco, uma no Brasil, outra na Itália. Também havia dados de um plano de previdência em meu nome, que eu nunca soube que tinha, e explicava como proceder com o seguro de vida. O próprio advogado, que teve que bancar o detetive e levou dias pra me encontrar em Quito, se colocou à disposição pra ajudar, pois seus honorários foram acertados com antecedência, além de todas as despesas fúnebres estarem previamente pagas junto ao crematório próximo à Universidade de Roma.

Estranhei a cremação, mas o mais incrível foi não haver determinação sobre o que fazer com as cinzas. A carta enviada ao advogado, mas dirigida a mim, terminava com a descrição deste endereço na Via del Boschetto e o recado "Procure por Serena Felice no edifício onde morei os últimos meses. E façam o que quiserem". Sem adeus, nem nada. Imaginando a burocracia do translado do corpo até o Brasil, fico aliviada que tenha sido assim. Mas sempre achei que tu ia querer ser enterrado em Porto Alegre, ao lado do túmulo da minha mãe. Jamais esperaria que o seríssimo Roberto Bevilacqua, no fim da vida, se tornaria humorista. Morte em Veneza... essa foi boa, pai.

Assim, há cerca de dez dias, a conheci. Procurá-la foi a primeira coisa que fiz ao desembarcar em Roma, perdida em um continente nunca antes visitado e cansada de todos os trâmites e papeladas ao lado do tal advogado. Espero que, onde quer que esteja, tu não tenha te chateado com o que aconteceu entre nós. "Façam o que quiserem". Bom, pai... seguimos à risca, todos os dias e em todos os cantos deste prédio, menos no depósito, único lugar onde Serena ainda não me levou. Seguro a vontade de rir pra não fazer barulho. Só posso ter perdido a cabeça pra ter embarcado na viagem sugerida por ela. Da qual voltamos ontem, exaustas e felizes desde que lançamos as tuas cinzas no jardim da tal Ambra, sem ela saber, após longa jornada de trem até Bréscia só pra isso.

Foi muito curioso conhecer essa mulher; ao que parece, uma celebridade italiana. Elegante, olhos amendoados e desconfiados. Quando batemos à porta e fomos recebidas, Serena e ela se abraçaram como velhas conhecidas. E só haviam se visto antes uma única vez, logo depois de tu fazer o que fez. Mesmo abandonada na estação de Pádua, Serena seguiu com o plano. Ao sermos apresentadas, Ambra também me abraçou, já sabendo de toda a história. Tudo que encontrei pra dizer foi que era estranho ver como provavelmente minha mãe teria ficado se tivesse vivido mais. A anfitriã comentou que, do jeito que eu falava, ela parecia uma velha. Me dei conta de que temos a mesma idade. Pior: sou eu a mais velha, pois nasci em março e Ambra, pelo que vi na internet depois, em abril. Uma tarde surreal, como tudo nas últimas semanas. Mesmo assim, já planejamos a próxima viagem juntas. Serena é o tipo de pessoa que diz "vamos?" e a gente vai. Mesmo que seja para uma novelesca aventura em Berlim, em busca do seu pai, um alemão cujo rosto ela não lembra e com quem nunca teve vontade de conversar. Até, como ela mesma diz, te conhecer, pai. Enfim... surreal.

Mais uma vez, me pergunto como vocês podem ter se tornado amigos. Ela reluta em dar detalhes, não conta muito sobre esses quase três meses. "Faz alguma diferença?", me questiona sempre em português, já que não falo italiano. Nós já tínhamos feito amor, como ela diz, quando conheci sua mãe. A esfíngica Sonia Felice, com seu olhar intenso e palavras cirúrgicas. Aproveitando um momento em que a filha foi ao banheiro, único em que ficamos a sós, a dona deste edifício me perguntou, falando bem devagar: "Chi di voi due prima spezzerà il cuore dell'altra?". Não entendi nada na hora e apenas ficamos sorrindo uma para a outra até Serena voltar. "Quem de vocês partirá primeiro o coração da outra?", compreendi após pensar um pouco. Mas já não estávamos mais sozinhas e, de qualquer forma, eu não saberia o que responder. Que bela mulher... não fosse pela filha, eu poderia ter me apaixonado pela mãe. Engraçado, a diferença de idade que tenho para as duas é exatamente a mesma. Uma para mais, outra para menos.

Serena geme, leve agitação no sono. Queria muito poder espiar os seus sonhos, saber o que vê e o que viu. E isso me leva àquela pergunta que ambas evitamos. Será que vocês dois... com medo da resposta, questionei apenas uma vez. Então, ela me olhou com aquele seu olhar de quem gabaritou a prova sem precisar estudar e levou o que pareceu mil anos para dizer "não". E nada mais. Me pergunto se Serena mentiria. Então, lembro da primeira coisa que fez ao nos conhecermos: me deu cinco mil euros em espécie. Disse que era todo o dinheiro que havia na mala que tu abandonou no trem. Não, ela não mentiria.

Mais uma vez, me sento na única cadeira deste quarto, onde tu veio terminar a vida e as coisas correram mais rápidas do que se esperava. Nem Serena sabe dizer o que te deu para ter feito o que fez. Nos perguntamos se, quando começaram a viagem pra encontrar Ambra, já estava tudo planejado. Nunca saberemos. Serena diz que esqueceu o celular no teu paletó por acidente e que tentou te rastrear pelo GPS do aparelho. Mas ela o recuperou nos achados e perdidos da estação de Pádua, onde certamente tu mesmo deixou. Dali, tu sumiu sem deixar rastro. Segundo o advogado, meu interlocutor com as autoridades italianas, teu corpo foi encontrado vinte dias após o que teria sido a data do sumiço. Em um restaurante de Veneza, sentado em uma mesa voltada pra Piazza San Marco, com a mão direita engessada, uma garrafa de vinho vazia e um prato de lasanha pela metade diante de si. Nos bolsos, tudo o que te restou e chegou até mim foram passaporte, cartão de crédito e um celular Nokia antigo, sem chip nem bateria. Um aparelho tão velho, mas tão velho, que joguei fora assim que recebi.

Depois, analisando a fatura do cartão, a surpresa: Roberto Bevilacqua, quem diria, havia passado seus últimos dias como um endiabrado hedonista, comendo e bebendo de tudo nos mais famosos cafés e restaurantes de Veneza. Na lista de gastos desta grande comilança, trinta e sete garrafas de vinho. De diversos tipos, dos mais descabidos preços. Logo tu, pai, que nunca foi de beber, resolveu começar depois de velho. E em grande estilo, pelo visto. Havia também idas ao cinema e visitas a inúmeros estabelecimentos indeterminados. Ao longo de toda a lista, poucos remédios, apenas digestivos e relaxantes musculares. Nenhum dos que o teu médico, com quem conversei antes de vir à Itália, me disse que tu deveria tomar. A certidão de óbito fala em mal súbito. Olho para Serena, a última pessoa a te ver vivo, e sorrio. Me desculpem os doutores, mas acho que foi justamente o contrário.

Sinto fome, mas ainda não sou capaz de despertá-la. Poderia passar o resto do dia assim, olhando para ela. E uma vida tentando decifrá-la. Como Roma, ninguém nunca conhecerá Serena por inteiro, nem será o mesmo depois de passar por ela. Ao pensar nisso, me lembro de que tudo isso pode acabar da mesma forma que começou: do nada. A qualquer momento, ela vai partir pra outra. Sei porque já fui assim... a Clara caçadora de experiências, ávida por novas pessoas e histórias. A não ser que... a nossa seja diferente. Será? Suspiro. E tento curtir esses dois sentimentos tão reconfortantes e, ao mesmo tempo, conflituosos: a paixão pela garota com sorriso da cor do vinho e a tristeza pela morte de um homem com quem jamais tive a chance de me reconciliar.

Não que tenhamos nos desentendido, não é mesmo? Foi mais simples: apenas não nos entendemos. Desde que me conheço por gente, éramos somente nós dois e os silêncios, a cada ano mais pesados, camadas e camadas de silêncio, se acumulando. Nunca me faltou nada, eu sei, mas também jamais deixei de me sentir como uma das tuas tarefas. Um bem a ser segurado, protegido. Hoje, adulta, sei que tu deu o teu melhor. Pena que, pra nos darmos conta dos idiotas que somos na adolescência, precisemos primeiro passar por ela. Sinto vergonha da rebeldia dos quinze, dezesseis anos. Da impaciência dos vinte e poucos. Podia ter pegado mais leve... queria que tu soubesse, pai, que não saí de casa por raiva. Mas também... tu nunca me procurou depois disso.

Agora, e somente agora, entendo que sair do caminho foi o teu jeito de apoiar minhas escolhas, minha natureza, minhas paixões. Gostaria que soubesse que sempre estive disposta a me reaproximar. No fim, vivemos esperando a iniciativa do outro, não é? E agora que o primeiro de nós dois se foi, é tarde demais para dizer uma vida inteira de coisas. Tarde para perdões e compreensões. Em meio a tudo o que não foi dito, só restaram apólices e uma garrafa vazia.

Busco o violão pousado sobre minha mala e fico alguns instantes com ele no colo, sentindo um enorme aperto no peito. Me pergunto se, no fim, tu também me entendeu. Meus dedos passam de leve nas cordas e seguro o ímpeto de dedilhar uma canção. Mas apenas por um momento. Desculpe, Serena, vou atrapalhar o teu sono... preciso tocar algo que não toco há muito tempo.

Assim que começo, ela desperta. Serena se espreguiça, levanta e vem até mim, dando a volta na cadeira. Por trás, me abraça e se debruça em meus ombros, cheirando meu cabelo e me arrepiando inteira. Sinto seus seios em minhas costas e todo o meu corpo se aquece. Acho que nunca estive tão à vontade com outra pessoa. Lembro de quando a presenteei com um de meus CDs, tentando impressioná-la. Primeiro, ela riu, perguntando se não haveria algum link onde pudesse baixar minhas músicas para o celular. Depois, observando o encarte, deu um tapa na própria testa quando viu meu nome na capa: Cla Mandelli, apelido da faculdade, com o sobrenome da minha mãe. "Por isso não a encontrava na internet!", foi o comentário dela, olhando para o céu, rindo e brandindo o punho fechado. Pai, por que não contou? Medo que Serena me encontrasse a tempo de te impedir de fazer o que fez? Ou será que era parte do teu plano que eu a conhecesse através da tua última mensagem? Gosto de pensar que é por aí, por mais improvável que seja.

Por isso, sigo a tocar. Uma música instrumental, apenas acordes de violão. Que não preciso de partitura para lembrar, nem letra para cantar. Minha acompanhante ouve em silêncio, como se soubesse que por mais que eu seja a mulher mais feliz do mundo ao seu lado, é em ti que penso neste momento. No qual toco a música que compus em tua homenagem, que te mostrei na última vez em que nos vimos, quando te visitei pouco antes de, definitivamente, cair na estrada. Naquele dia, pai, tu apenas me abraçou e abriu a porta pra eu partir, pedindo que eu me cuidasse. Depois, somente ligações, mensagens e recados. E nunca tive, nem vou mais ter, oportunidade de perguntar se gostou da música.

Então, pra minha surpresa, percebo que Serena começa a murmurar. De leve, como quem entoa uma canção de ninar. Fazendo hmm hmm hmmmm, acompanhando o dedilhar das cordas, seguindo as notas com perfeição. Assim, juntas, vamos até o último acorde. Eu com meu violão, Serena com seus lábios. Quando a música termina, fecho os olhos, segurando uma lágrima. E para evitar que ela deslize pelo meu rosto, digo qualquer coisa:

— Quer dizer que, além de tudo, tu tem ouvido musical?
— Que nada, Bella. Mal sei bater palmas.
— Mas acompanhou a melodia como se já a conhecesse.
— E conheço. É a música que seu pai assoviava sempre que estava feliz.

*"Fico feliz em viver, me agrada mesmo.
Digo sempre àquele de barba branca:
'Deixe estar, o que tem com isso?
Eu decido quando quero morrer.'"*

Marcello Mastroianni,
ao jornalista e amigo Enzo Biagi,
em algum momento entre 1924 e 1996.

Agradecimentos

Aos meus pais, Eduardo Battaglia Krause e Maria Moresco, que me deram o mundo todo e a vida inteira, cabendo a mim apenas inventar o resto.

À minha esposa, Daniele de Paiva Galeriano, por ter dito sim naquela igreja no interior da Toscana e por sua capacidade de me ler até quando não escrevo.

À minha vó, Janice Battaglia Krause, que já via um escritor em mim quando eu tinha apenas oito anos. E aos meus irmãos, Guilherme, Maria Clara e Virginia, cada um com o seu superpoder dentro deste quarteto fantástico.

A Patrícia Marques e Ronaldo Capparelli. Ela é toda emoção, ele é pura razão. E, juntos, formam o casal de leitores-revisores dos sonhos de todo escritor.

Aos colegas e, acima de tudo, amigos da editora Dublinense: Eduardo Rech, Gustavo Faraon, Rodrigo Rosp, Samla Borges e Valda Coutinho. Eu preciso de vocês ainda mais do que do emprego.

À Luísa Zardo, que deveria estar no agradecimento acima, mas que merece um grazie à parte por ter criado o design desta nova edição: mais inevitável que a mastroiannização do Brasil, só a zardinização do planeta.

À Alessandra Magalhães, pelo prefácio, pela poesia, pelo Quarup, por Karenina e por todas as suas vinganças literárias, tanto passadas quanto vindouras — e que não quero perder.

Aos queridos Robertson Frizero e Renata Wolff, talentosíssimos não apenas nas letras, mas também no afeto. Minha admiração por vocês abraça a vida real e a ficção.

Às enormes Regina Zilberman e Valesca de Assis pelo carinho e conselhos que me deram, quando tudo ainda era apenas Word. Que honra enorme ter vocês nessa jornada.

À incansável Lu Thomé, primeira a acreditar. Sempre será.

Às bravíssimas Barbara Campanaro Marcos e Marcela Schneider Ferreira, madrinhas de casamento e irmãs que deixei na Toscana; e à Magda Rosí Brodbeck, a gaúcha com o coração mais romano do Brasil.

À infalível Maria Teresa Ruiz Tsukazan, consultora médica deste livro e psicóloga de estrada nas horas vagas, especialista no itinerário Marau-Florença.

Aos colegas da saudosa Oxi Comunicação, representados por Gustavo Schauenberg (O Pão da Vida) com menção honrosa à Maria Alice Cunha, primeira leitora do primeiro exemplar impresso de Brava Serena na história da humanidade; e aos sócios-diretores da eterna Ideiabox, Henrique Barreira Lago (meu eterno partner de *Conceição* no karaokê) e Darlan Buttchevits (O Colosso de Rodes brasileiro).

Por fim, grazie a Marcello Mastroianni, maior companhia de bar imaginária. E grazie anche a te, Ambra Angiolini, por aquelas madrugadas durante o gelado inverno de Rufina, no interior da Toscana, quando realmente achei que teu programa de tevê era ao vivo, e não reprise.

Descubra a sua próxima
leitura em nossa loja online

dublinense .COM.BR

Composto em DANTE e impresso na PALLOTTI,
em PÓLEN BOLD 70g/m², em MARÇO de 2022.